GRANDE BRASIL: *VEREDAS*

... *Uma coisa é pôr idéias arranjadas, outra é lidar com país de pessoas, de carne e sangue, de mil-e-tantas misérias... Tanta gente — dá susto se saber — e nenhum se sossega: todos nascendo, crescendo, se casando, querendo colocação de emprego, comida, saúde, riqueza, ser importante, querendo chuva e negócios bons...*

(Fala de Riobaldo em *Grande Sertão, Veredas*, Guimarães Rosa, Rio, Editora José Olympio, 15.ª ed., 1983, página 15.)

GRANDE BRASIL: *VEREDAS*

A análise dos problemas e crises, instituições e momentos brasileiros na busca da sua verdade e dos caminhos possíveis para o futuro do Brasil

1. SESSENTA E QUATRO: ANATOMIA DA CRISE — Wandeley Guilherme dos Santos

2. AS ORIGENS DA CRISE — Estado autoritário e planejamento no Brasil — Olavo Brasil de Lima Jr. e Sérgio Henrique Abranches (organizadores)

3. A TUTELA MILITAR — Eliézer Rizzo de Oliveira, João Quartim de Moraes e Wilma Peres Costa

4. A ARTE DA ASSOCIAÇÃO — Política de base e Democratização no Brasil — Renato Raul Boschi

5. CRISE E CASTIGO — Partidos e generais na política brasileira — Wanderley Guilherme dos Santos

6. PARADOXOS DO LIBERALISMO — Teoria e História — Wanderley Guilheme dos Santos

7. ESTRUTURA SOCIAL, MOBILIDADE E RAÇA — Carlos A. Hasenbalg e Nelson do Valle Silva

8. A DEMOCRACIA NO BRASIL — DILEMAS E PERSPECTIVAS — Fábio Wanderley Reis e Guillermo O'Donnell (org.)

ESTRUTURA SOCIAL, MOBILIDADE E RAÇA

Co-edição
VÉRTICE
(EDITORA REVISTA DOS TRIBUNAIS)
e IUPERJ
(INSTITUTO UNIVERSITÁRIO DE PESQUISAS DO RIO DE JANEIRO)

com apoio da
FUNDAÇÃO FRIEDRICH NAUMANN

Sobre os Autores

CARLOS A. HASENBALG é Ph.D em Sociologia pela Universidade da Califórnia em Berkeley, vice-diretor do Centro de Estudos Afro-Asiáticos e professor do IUPERJ. Publicou *Discriminação e Desigualdades Raciais no Brasil* e outros trabalhos na área de relações raciais.

NELSON DO VALLE SILVA é Ph.D em Sociologia pela Universidade de Michigan, pesquisador titular do Laboratório Nacional de Computação Científica (LNCC) do CNPq, professor visitante do IUPERJ e autor de vários trabalhos na área de estratificação e mobilidade social.

Dados de Catalogação na Publicação (CIP) Internacional
(Câmara Brasileira do Livro, SP, Brasil)

H278e

Hasenbalg, Carlos Alfredo.
Estrutura social, mobilidade e raça / Carlos A. Hasenbalg & Nelson do Valle Silva. — São Paulo : Vértice, Editora Revista dos Tribunais ; Rio de Janeiro : Instituto Universitário de Pesquisas do Rio de Janeiro, 1988.
(Grande Brasil, Veredas ; v. 7)
Bibliografia.
ISBN 85-7115-014-1
1. Brasil - Questão racial 2. Estrutura social 3. Estrutura social - Brasil 4. Mobilidade social 5. Mobilidade social - Brasil 6. Relações raciais I. Silva, Nélson do Valle. II. Título. III. Série.

CDD-305
-305.0981
-305.5
-305.50981
-305.896081

87-2569

Índices para catálogo sistemático: 1. Brasil : Estrutura social : Sociologia 305.0981 — 2. Brasil : Mobilidade social : Sociologia 305.50981 — 3. Brasil : Questão racial : Negros : Sociologia 305.896081 — 4. Estrutura social : Sociologia 305 — 5. Mobilidade social : Sociologia 305.5.

ESTRUTURA SOCIAL, MOBILIDADE E RAÇA

Carlos Hasenbalg
&
Nelson do Valle Silva

GRANDE BRASIL: VEREDAS

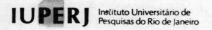

IUPERJ Instituto Universitário de
Pesquisas do Rio de Janeiro

VÉRTICE

ESTRUTURA SOCIAL, MOBILIDADE E RAÇA

CARLOS A. HASENBALG e NELSON DO VALLE SILVA

Foto da capa (Favela da Maré, Rio
de Janeiro) de Sidney Waismann, 1983.

© desta edição: 1988

Editora Revista dos Tribunais Ltda.

EDIÇÕES VÉRTICE

Rua Conde do Pinhal, 78
Tel. (011) 37-2433 — Caixa Postal, 678
01501 - São Paulo, SP, Brasil.

Impresso no Brasil (6 - 1988) — Tiragem: 2.000 exemplares.

ISBN 85-7115-014-1

SUMÁRIO

APRESENTAÇÃO 9

1. INDUSTRIALIZAÇÃO E ESTRUTURA DE EMPREGO NO BRASIL: 1960-80 13

   CARLOS A. HASENBALG & NELSON DO VALLE SILVA

   Estrutura ocupacional e mobilidade social (25) — Oportunidades sociais: sexo e raça (37) — Sumário e conclusões (45).

2. OS DESERDADOS DO MILAGRE 61

   NELSON DO VALLE SILVA

   A ilusão do crescimento (60) — A pobreza e a miséria no Brasil, 1985 (70) — O perfil da pobreza (79) — Criando a miséria futura (84).

3. ET PLUS ÇA CHANGE... TENDÊNCIAS HISTÓRICAS DA FLUIDEZ SOCIAL NO BRASIL 95

   NELSON DO VALLE SILVA & DÉBORAH RODITI

   Introdução (94) — Industrialização e mobilidade social (95) — Dados e variáveis (99) — O modelo analítico (101) — Tendências na mobilidade de circulação (107) — Conclusões (112).

4. DESIGUALDADES RACIAIS NO BRASIL 115

   CARLOS A. HASENBALG

   Introdução (114) — Escravidão e desigualdades raciais (120) — Escravidão e Geografia racial (122) — Conseqüências sociais da abolição (125) — Desigualdades ocupacionais e educacionais (131) — Conclusão (139).

7

5. COR E O PROCESSO DE REALIZAÇÃO SÓCIO-ECO-
NÔMICA 144

Nelson do Valle Silva

Introdução (143) — Dados básicos (144) — Um modelo do processo de realização sócio-econômica (150)
— A herança da cor (157) — Conclusão (161).

6. RAÇA E MOBILIDADE SOCIAL 164

Carlos A. Hasenbalg

A estrutura das desigualdades raciais (166) — A perpetuação das desigualdades raciais (171) — Conclusões
(176) — Apêndice (177).

7. AS IMAGENS DO NEGRO NA PUBLICIDADE 183

Carlos A. Hasenbalg

● Notas de referência 189

Apresentação

ESTE LIVRO REÚNE TRABALHOS escritos pelos autores ao longo dos últimos dez anos. Todos os artigos aqui dispostos em capítulos tratam de três temas que se relacionam aos traços gerais do desenvolvimento econômico do Brasil, particularmente nas últimas décadas: a) as rápidas mudanças na estrutura social ocorridas dentro dos limites de um modelo de modernização conservadora, com todos os custos sociais que lhe são inerentes; b) a reordenação dos perfis de estratificação e os processos decorrentes de mobilidade social, que coexistem com fortes desigualdades distributivas e persistente pobreza; e c) o papel desempenhado pelas diferenciações raciais na alocação de posições na estrutura social.

Os trabalhos aqui apresentados foram produzidos no ocaso do "milagre econômico", durante um período notoriamente autoritário da vida política do país. Eles permitem caracterizar grupos e setores da sociedade brasileira que permaneceram excluídos dos ganhos do "milagre", e publicá-los hoje significa não apenas contribuir para a história social recente do país, mas, também, apontar para um legado de iniqüidades que o presente e o futuro devem encarar como problemas a resolver. Os capítulos que se referem a raça dialogam criticamente com as interpretações tradicionais da questão racial no Brasil e contribuem com evidências novas ao diagnóstico da situação social da população negra nas vésperas do centenário da abolição, quando ainda a sociedade brasileira oferece sérias resistências a discutir aberta e publicamente o problema do racismo.

O primeiro capítulo aborda as mudanças em algumas dimensões básicas da estrutura social que resultaram do acelerado ritmo de crescimento experimentado pela economia brasileira a partir de 1968. São examinadas primeiro, para o período 1960-80, as transformações na estrutura setorial do emprego, certas modificações nas relações de trabalho e suas implicações para o reordenamento da estrutura de classes, o aumento da participação das mulheres na força de trabalho e as tendências na distribuição de renda. Em segundo lugar, é avaliado o impacto da urbanização e da industrialização nas transformações da estrutura ocupacional associadas à modificação do perfil de estratificação social, estudando-se também as principais características da mobilidade social, tal como indicadas pelos fluxos entre diversos estratos ocupacionais. Por último, é examinada a influência de características adscritas, tais como sexo e raça, na distribuição de oportunidades sociais e na manutenção de padrões de desigualdade.

O capítulo 2 faz um levantamento da situação da pobreza que restou após vinte anos de regime autoritário. Embora o quadro seja bastante conhecido em suas linhas gerais, a extensão das carências e da privação absoluta em nossa sociedade é sempre surpreendente. Mesmo utilizando critérios bastante estritos para definir a linha da pobreza, constata-se que em 1985 cerca de 35% das famílias e 41% das pessoas se encontravam abaixo do que seria o mínimo indispensável para uma vida digna. Ainda mais preocupante é o fato de que pelo menos metade deste contingente de pobres está constituído por crianças de até 14 anos de idade e que a maioria das crianças de hoje vivem em estrita pobreza. A força de projeção no futuro desta situação de carência do presente dá uma medida da gravidade e da urgência do nosso problema social.

No capítulo 3 são examinadas as tendências temporais na mobilidade ocupacional intergeracional para os homens que começaram sua vida de trabalho entre 1914 e 1973. Apesar das altas taxas de urbanização e crescimento industrial que caracterizam a sociedade brasileira durante este período, os resultados indicam uma clara constância temporal na mobilidade ocupacional quando os efeitos da mudança das distribuições ocupacionais de origem e destino são controlados. Estes resultados contradizem uma proposição básica da chamada "tese do industrialismo", segundo a qual o crescimento industrial produz um aumento na fluidez social.

O capítulo 4 analisa as desigualdades raciais no Brasil no período posterior à abolição do escravismo. Nele é feita uma avaliação crítica das teorias que postulam uma incompatibilidade entre racismo e industrialização e que explicam as desigualdades raciais do presente como um legado da escravidão. As desigualdades raciais são atribuídas à discriminação racial e à segregação geográfica dos grupos raciais, condicionada inicialmente pelo regime escravista e reforçada depois pela política oficial de promoção da imigração européia para o sudeste do país. Sugere-se que as desigualdades não irão diminuir através da mobilidade social individual dos não-brancos, a menos que este grupo consolide suas demandas por políticas de promoção diferencial em seu benefício e que sejam eliminados os mecanismos discriminatórios de rotina.

No capítulo 5 é desenvolvido um modelo do ciclo de vida sócio-econômica dos indivíduos que relaciona a origem social com o nível de instrução, ocupação e renda. É feita uma estimação e comparação dos parâmetros deste modelo para demonstrar que ao longo de todas as fases do processo de realização sócio-econômica os não-brancos sofrem desvantagens que se acumulam na geração de chances de vida claramente inferiores àquelas usufruídas pela população branca.

O capítulo 6 discute as interpretações das relações raciais no Brasil que, baseadas em supostos assimilacionalistas, minimizam o papel da raça como critério de hierarquização social. Após um exame da estrutura contemporânea das desigualdades raciais, efetua-se uma comparação entre os padrões de mobilidade social dos grupos branco e não-branco para mostrar que as desigualdades raciais são constantemente recriadas através da desigual estrutura de oportunidades sociais a que esses dois grupos estão expostos.

Finalmente, o capítulo 7 analisa as imagens do negro veiculadas pela publicidade, revelando o lugar que esse grupo ocupa no nível simbólico das relações raciais.

1

Industrialização e estrutura de emprego no Brasil: 1960-1980

ESTA SEÇÃO ESTÁ DESTINADA a descrever as modificações na estrutura de emprego ocorridas no Brasil entre 1960 e 1980. Durante esse período o país experimentou rápidas mudanças estruturais, entre as quais sobressai uma substancial modificação na estrutura setorial do emprego. Esta redistribuição da população economicamente ativa entre os vários setores de atividade pode ser atribuída fundamentalmente a dois fatores: 1) as altas taxas de crescimento econômico do período; e 2) o ritmo acelerado de urbanização e a conseqüente mudança da força de trabalho para fora do setor primário.

Com relação ao primeiro aspecto, apesar das fortes oscilações cíclicas que caracterizaram o período, não resta dúvida de que o saldo global de crescimento econômico foi francamente positivo. A estagnação em que a economia se encontrava em 1962 continua até 1967; nestes anos a taxa média anual de crescimento do produto interno bruto real foi de 3,7%. Em 1968 o país entra numa fase de expansão econômica acelerada que iria durar até 1974. Nestes anos, o PIB real cresce a uma média anual de 11,2%, liderado pelo setor industrial, que se expande a taxas de 12,7% anuais. Entre 1975 e 1979, já em fase de descenso cíclico, a economia continua crescendo a taxas de 6% a 7% anuais.

No que se refere ao processo de urbanização, a década de 1960 testemunha a passagem do Brasil para a condição de país predominantemente urbano. Em 1960, os 38,6 milhões de habitantes das regiões rurais constituíam 55,1% da população total; entre 1960 e 1970, a população rural continuou crescendo em números absolutos até aproximadamente 41 milhões, que passam a representar, na última data, 44,1% da população total. Na década seguinte, o ritmo de

Este capítulo é de autoria de Carlos A. Hasenbalg e Nelson do Valle Silva. O trabalho foi apresentado no Seminário "Oportunidades e limites da sociedade periférica: O caso do Brasil", organizado pelo IUPERJ e o Stanford-Berkeley Joint Center for Latin American Studies, Nova Friburgo, 18-20.7.83.

13

urbanização é ainda mais acelerado, observando-se um declínio da população rural tanto em termos absolutos — cai para 38,6 milhões — como relativos, representando apenas 32,4% da população total em 1980.

Um primeiro aspecto a ser destacado sobre a evolução quantitativa do emprego no período em análise reside na relação entre o crescimento da população economicamente ativa e a população total. Na década de 1960, em que o crescimento demográfico foi mais acelerado, com taxas médias anuais de 2,89%, e o crescimento econômico foi mais lento do que na década seguinte, a população total cresceu mais rapidamente do que a PEA, com aumentos proporcionais de 32,9% e 29,9%, respectivamente. Já na década de 1970, caracterizada por um declínio do ritmo de crescimento demográfico para médias anuais de 2,49% e um crescimento econômico mais rápido, ocorre o fenômeno inverso: a PEA cresce (48,1%) numa proporção substancialmente mais elevada do que a população total (27,8%). Apesar da PEA incluir desempregados, pessoas que procuram trabalho pela primeira vez e a dificilmente quantificável categoria dos subempregados, as constatações anteriores levam a concluir que a década de 1970 apresentou um dinamismo mais acentuado na geração de empregos, particularmente nos setores urbanos de atividade econômica.

Antes de analisar com maior detalhe a redistribuição do emprego entre os diversos setores de atividade econômica, convém apresentar uma visão global, baseada na clássica distinção entre setores primário, secundário e terciário. A distribuição proporcional da PEA entre esses setores nos três cortes censitários adotados foi a que segue:

	1960	1970	1980
Primário	54,0	44,3	29,9
Secundário	12,9	17,9	24,4
Terciário	33,1	37,8	45,7
	100,0	100,0	100,0

FONTE: FIBGE, *Tabulações Avançadas do Censo Demográfico*, 1980, v. 1, t. 2.

Verifica-se, em primeiro lugar, uma continuação da tendência histórica ao declínio do setor primário, acelerada nestas duas últimas décadas. O setor perde 9,7 pontos percentuais entre 1960 e 1970 e 14,4 pontos entre 1970 e 1980. Em 1970, o setor absorvia o maior contingente da PEA, mas já em 1980, quando sua participação relativa cai para aproximadamente 30%, perde este lugar para o setor terciário. Em termos absolutos, a PEA do setor primário ainda experimenta um ligeiro crescimento entre 1960 e 1970, passando de 12,3 milhões de pessoas para 13,1 milhões, e pára então de crescer, apresentando em 1980 praticamente a mesma quantidade que em 1970.

O setor secundário é o que cresce mais rapidamente em termos relativos, quase duplicando sua participação no período em análise. Entre 1960 e 1970, ele absorve pouco mais da metade da redução proporcional da PEA no setor primário. Em números absolutos, o emprego no secundário aumenta 80,1% entre 1960 e 1970 e duplica entre 1970 e 1980, passando de aproximadamente 2,9 milhões em 1960 para 5,3 milhões em 1970 e 10,7 milhões em 1980.

Finalmente, o setor terciário, que já absorvia um terço da PEA em 1960, expande-se consistentemente até englobar 45,7% da PEA em 1980. Em números absolutos, o terciário contava com 7,5 milhões em 1960, 11,5 milhões em 1970 e 20 milhões em 1980, o que significa um crescimento de 48,3% na década de 1960 e de 79,1% entre 1970 e 1980.

Uma inspeção da tabela 1.1 permite analisar de forma mais desagregada o comportamento do emprego dos subsetores do secundário e do terciário. Neste último caso será adotada a distinção introduzida por P. I. Singer entre serviços da produção (comércio de mercadorias, comércio de imóveis e valores imobiliários, crédito, seguro e capitalização e transportes e comunicações), serviços de consumo individual (prestação de serviços) e serviços de consumo coletivo (administração pública e atividades sociais). [1]

Contrariando as perspectivas pessimistas sobre a baixa capacidade do setor industrial absorver novos contingentes de mão-de-obra nos países do capitalismo periférico, o setor secundário é o que mostra o maior dinamismo na geração de novos empregos. Entre 1960 e 1970, a indústria de transformação aumenta sua participação relativa no emprego de 8,6% para 11%, com um aumento de 66% das pessoas ocupadas. Na década seguinte, o ritmo de expansão acelera-se, mais do que duplicando o número de pessoas ocupadas e aumentando sua participação relativa para 15,7%. Na década de 1960, a expansão do emprego na indústria de transformação deveu-se basicamente ao dinamismo das indústrias modernas. Com efeito, entre 1960 e 1970, o número das ocupações ligadas diretamente à produção nas indústrias tradicionais (têxtil, couro, vestuário, madeira e móveis, alimentos e bebidas e cerâmica e vidro) apenas aumentou de 1.599.805

TABELA 1.1
SETOR DE ATIVIDADE DAS PESSOAS ECONOMICAMENTE ATIVAS DE 10 ANOS E MAIS: 1960-1970-1980

	1960		1970		1980	
	N	%	N	%	N	%
Agropecuária, extração veg, pesca	12.276.908	54,0	13.087.521	44,3	13.109.415	29,9
Indústrias de transformação	1.954.187	8,6	3.241.861	11,0	6.858.598	15,7
Indústrias da construção	781.247	3,4	1.719.714	5,8	3.151.094	7,2
Outras atividades industriais	204.808	0,9	333.852	1,1	665.285	1,5
Comércio de mercadorias	1.478.270	6,5	2.247.493	7,6	4.111.307	9,4
Transporte e comunicações	977.345	4,3	1.167.866	3,9	1.815.541	4,1
Prestação de serviços	3.028.933	13,3	3.925.001	13,3	7.089.709	16,2
Atividades sociais	755.043	3,3	1.531.563	5,2	3.044.909	7,0
Administração pública	712.904	3,1	1.152.341	3,9	1.812.152	4,1
Outras atividades	580.383	2,6	1.150.012	3,9	2.138.753	4,9
PEA TOTAL	22.750.028	100,0	29.557.224	100,0	43.796.763	100,0

FONTE: FIBGE, Tabulações Avançadas do Censo Demográfico, 1980, vol. 1, t. 2.

para 1.655.745. Já na década de 1970, junto ao contínuo crescimento do emprego nas indústrias de ponta, ocorre uma reativação do emprego naquelas indústrias tradicionais, cujos trabalhadores ligados à produção aumentam para 2.865.559, o que possivelmente correspondeu ao ritmo elevado de crescimento econômico e à expansão da demanda nos mercados urbanos.

A indústria da construção, que é o setor de atividades em que mais rapidamente aumenta o número de empregados, quadruplicou o número de pessoas ocupadas durante as duas décadas, passando a absorver de 3,4% até 7,2% da PEA. Esta indústria, cujo rápido crescimento está ligado ao aumento da população urbana, ao estabelecimento do Sistema Financeiro da Habitação e à expansão das obras públicas, apresenta no período um salário médio próximo do nível do salário mínimo e deve ter desempenhado um papel importante na incorporação ao mercado de trabalho dos migrantes de origem rural de sexo masculino.

O ritmo acelerado de industrialização e crescimento econômico, aprofundando o processo de divisão social do trabalho, deveria levar à expectativa de um aumento relativo do emprego nos serviços da produção. De fato, isto ocorre com o setor de comércio de mercadorias, mas não assim no caso dos transportes e comunicações.

Com relação ao comércio de mercadorias, nota-se que o contingente de pessoas nele ocupado cresce a um ritmo bem mais elevado do que a PEA total, aumentando sua participação relativa de 6,5% em 1960 para 7,6% em 1970 e 9,4% em 1980. Poder-se-ia argumentar que o setor é heterogêneo e que nem todo o emprego nele gerado é um efeito do desenvolvimento econômico, na medida em que existe um grande número de pessoas dedicadas a um comércio de baixa produtividade e que não consegue ingressar no mercado capitalista de trabalho. Esta era, sem dúvida, a situação em 1960, quando 43,7% das pessoas que trabalhavam no setor o faziam por conta própria ou sem remuneração. Entretanto, essa forma de subemprego ou desemprego disfarçado declina consideravelmente entre 1970 e 1980, quando o grupo de autônomos e sem remuneração cai de 42,7% para 30,4%, aumentando conseqüentemente a proporção de posições no mercado formal de trabalho.

Ao invés de crescer, o setor de transportes e comunicações mostra uma estabilidade na sua participação relativa no emprego — em torno de 4% — ao longo do período estudado. Observando a evolução quantitativa das ocupações no setor, comprova-se que essa estabilidade relativa no emprego resulta de tendências divergentes das atividades incluídas. Assim, enquanto as atividades de implantação mais recente como transporte aéreo, transporte urbano e rodoviário e comunicações aumentam consideravelmente o número de pessoas ocupadas, as atividades de implantação mais antiga, correspondentes ao período de crescimento agroexportador, experimentam uma estagnação ou mesmo um declínio absoluto no pessoal ocupado. Este é o caso dos transportes marítimos e fluviais, das ocupações dos serviços portuários e transportes ferroviários.

O comportamento dos restantes serviços da produção (comércio de imóveis e valores mobiliários, instituições de crédito, seguros e capitalização) em matéria de emprego não pode ser observado diretamente por estarem incluídos na categoria residual de "outras atividades". Não obstante isso, não é difícil suspeitar que boa parte do rápido crescimento da proporção de pessoas ocupadas nessas "outras atividades" é devido à expansão do emprego naqueles serviços.

Os serviços de consumo individual, representados pelo setor de prestação de serviços, podem ser considerados como serviços "tradicionais", no sentido deles antecederem ao processo de industrialização e desenvolvimento econômico. Como apontam Browning e Singelmann, apesar da relativa heterogeneidade do setor, todas as suas atividades têm em comum a orientação para o consumidor individual. Neste sentido, a demanda por serviços pessoais é mais dependente da renda dos indivíduos do que os serviços sociais ou de consumo coletivo.[2]

Em países como o Brasil, é de se esperar que este setor tenha uma participação relativa substancial no total da população ativa, entre outros motivos devido ao peso do emprego doméstico. De fato, a prestação de serviços absorvia 13,3% da PEA total em 1960 e 1970, ampliando sua participação para 16,2% em 1980. Entretanto, a participação da prestação de serviços dentro do setor terciário é declinante: ela representava 40,2% do terciário em 1960, 34,1% em 1970 e 35,4% em 1980. Mais ainda, o seu aumento na participação relativa na PEA entre 1970 e 1980 obedece em parte a uma reclassificação de ocupações no censo de 1980, que aí contabilizou 1.295 mil porteiros, vigias e serventes, antes incluídos em "outras ocupações". Eliminando essas ocupações para manter a comparabilidade com os censos anteriores, a participação proporcional da prestação de serviços dentro do terciário em 1980 cairia para 28,9%. Com relação ao emprego doméstico, as 947.000 pessoas nele ocupadas em 1960 representavam 31,3% da prestação de serviços e 4,2% da PEA total; essa cifra aumenta para 1.697.000 pessoas em 1970, constituindo 43,2% da prestação de serviços e 5,7% da PEA total, passando a 2.369.000 pessoas em 1980, que significavam 33,8% do setor e 5,4% da PEA total. A manutenção de um vasto contingente de empregados domésticos no Brasil, ao contrário da tendência histórica dos países de capitalismo avançado, indica que este setor representa um importante mecanismo de inserção no mercado de trabalho para as mulheres de baixa qualificação profissional e educacional, desempenhando uma função similar à do setor da construção civil para os homens. O trabalho doméstico remunerado constitui o grupo ocupacional que individualmente emprega a maior proporção de mulheres (oscilando no período entre 19% e 27% das mulheres economicamente ativas). Para aqueles que conhecem as condições do emprego doméstico no Brasil e estão inclinados a exercícios de imaginação mais arrojados, não devem faltar motivos para encontrar linhas de continuidade histórica entre o escravismo doméstico do passado e a situação do presente. À diferença do passado, o emprego doméstico assume hoje crescentemente a função subsidiária de facilitar o ingresso no mercado de trabalho das mulheres de posição sócio-econômica mais elevada.

Os serviços de consumo coletivo, particularmente as atividades sociais (educação e saúde), têm sido definidos como "novos serviços", no sentido de que seu consumo de massa é algo relativamente recente. Não obstante o acesso diferencial aos serviços sociais por parte de diferentes grupos sócio-econômicos, a pressuposição é de que o consumo destes serviços depende cada vez menos da capacidade individual de pagar por eles.[3]

A tendência no período em análise é de aumento relativo do emprego nos serviços de consumo coletivo, particularmente no caso das atividades sociais que, junto com a construção civil, é o setor que mais rapidamente cresce, quadruplicando o pessoal ocupado e ampliando sua participação relativa na PEA de 3,3% em 1960 para 7% em 1980.

A expansão do emprego na administração pública reflete a ampliação das funções reguladoras do Estado na vida social e econômica. O setor de administração pública (que só inclui a administração pública direta e defesa nacional) cresce a um ritmo mais acelerado do que o da PEA total, mas apenas ganha um ponto percentual na sua participação relativa no emprego, passando de 3,1% em 1960 para 4,1% em 1980. A não-inclusão neste setor das pessoas ocupadas nas empresas estatais e mistas faz com que a geração de empregos resultantes da intervenção estatal na economia seja assim subestimada.

Resumindo as linhas de evolução do setor terciário como um todo, pode-se afirmar que ele não só aumenta consistentemente sua participação no emprego ao longo do período estudado, como também modifica sua estrutura interna, aumentando a participação dos serviços da produção e dos serviços de consumo coletivo, em detrimento dos serviços de consumo individual. As evidências relativas ao terciário na década de 1970 permitem confirmar as conclusões alcançadas por P. I. Singer com relação ao período anterior a 1970:

"(...) o acentuado crescimento do emprego relativo do terciário é explicável em parte pelas transformações estruturais resultantes do desenvolvimento. Não há sentido em se encarar *a priori* o aumento relativo do terciário como "prova" de que ele tende a se tornar cada vez mais "inchado", no sentido de que grande parte deste aumento de emprego se dá em áreas não produtivas socialmente (serviço doméstico) ou de baixíssima produtividade (comércio ambulante, serviços pessoais). Antes de se dispor de dados que comprovem esta tendência, o aumento do emprego no terciário só pode ser encarado como resultado esperado do desenvolvimento".[4]

O impacto destas rápidas transformações na estrutura setorial do emprego em termos de mudanças no perfil de estratificação social e processos de mobilidade social constitui o objeto de análise da próxima seção deste trabalho.

No presente contexto, deve ser acrescentado que essas mudanças na estrutura de emprego são acompanhadas por importantes modificações nas relações de produção. Breves indicações a esse respeito podem ser feitas a partir da distinção que os censos demográficos fazem entre diferentes posições na ocupação das pessoas economicamente ativas.

Para a força de trabalho como um todo, no período considerado, observa-se uma rápida expansão das relações capitalistas de trabalho, indicada pela proporção de empregados no conjunto da força de trabalho. Neste sentido, os empregados, que representavam menos da metade da PEA (47,9%) em 1960, aumentam a sua participação relativa para 54,8% em 1970, chegando a constituir dois terços (66,7%) em 1980. Este processo conduziu, logicamente, a uma diminuição proporcional das pessoas dedicadas a formas não-capitalistas de produção, representadas pelos trabalhadores autônomos e sem remuneração, cuja participação cai de 50% em 1960 para 43,7%

em 1970 e 30,1% em 1980. Este processo global de extensão das relações capitalistas de trabalho obedece, em boa medida, à urbanização da estrutura ocupacional do país e ao rápido declínio relativo, em termos de emprego, do setor primário, que concentra os maiores contingentes de trabalhadores por conta própria e sem remuneração.

Tradicionalmente, a agricultura brasileira caracteriza-se pelo baixo grau de mecanização e a presença de formas arcaicas de relações de trabalho. O fato de pouco mais de 70% dos trabalhadores rurais em 1960 e 1970 serem autônomos e sem remuneração é indicativo dessa realidade. Concomitantemente, o desenvolvimento no período mais recente de uma agricultura capitalista e mecanizada não se tem traduzido numa grande capacidade do setor em absorver força de trabalho. De fato, só na década de 1970 ocorrem modificações de alguma importância nas relações de produção na agricultura, indicadas pelo declínio dos trabalhadores autônomos e sem remuneração para o nível de 58% e o aumento dos empregados, entre 1970 e 1980, de 25,4% para 38,4%. Algumas implicações deste processo são discutidas na próxima seção.

No que se refere às atividades econômicas urbanas, estas já eram predominantemente capitalistas em 1960, quando se constatava a presença de 74% de empregados na sua população ativa. Nas duas décadas seguintes, o caráter predominantemente capitalista do mercado de trabalho urbano é aprofundado, aumentando a proporção de empregados para 78,1% em 1970 e 79,1% em 1980. Ao longo de todo o período observa-se um declínio relativo dos trabalhadores autônomos e sem remuneração, de 23,5% para 17,7%. Finalmente, é interessante notar que na década de 1970 ocorre um aumento considerável dos pequenos empreendimentos, principalmente no comércio de mercadorias e na prestação de serviços, indicado por um aumento no número de empregadores urbanos, de 236 mil em 1970 para 780 mil em 1980.

Como parte do processo global das modificações na estrutura do emprego, queremos, neste contexto, destacar aqui apenas um aspecto adicional, referente a evolução do componente administrativo e técnico-científico da estruturação ocupacional. O quadro que segue mostra a participação relativa das ocupações administrativas (discriminando os subgrupos que as compõem, a saber, proprietários, administradores e funções burocráticas e de escritório) e das ocupações técnicas, científicas e afins dentro do total da população economicamente ativa.

	1960 %	1970 %	1980 %
Ocupações administrativas	8,0	10,1	12,3
(Proprietários)	(3,8)	(4,0)	(2,5)
(Administradores)	(0,5)	(1,3)	(1,8)
(Funções burocrat. e de escrit.)	(3,7)	(4,8)	(8,0)
Ocupações técnicas, científicas e afins	3,1	4,7	6,8
Demais ocupações	88,9	85,2	80,9
	100,0	100,0	100,0

Nota-se como estes dois grupos de ocupações que, com a parcial exceção dos proprietários, podem ser vistos como *proxy* dos estratos ocupacionais médios ou da chamada nova classe média, crescem continuamente a partir de um patamar inicial reduzido em 1960 (11,1%), chegando a representar 19,1% da PEA em 1980. Como conseqüência da ampliação das funções do Estado, do processo de concentração do capital e da gravitação crescente das grandes empresas privadas e públicas, observa-se, entre as ocupações administrativas, um declínio na participação relativa dos proprietários e um crescimento muito rápido do grupo dos administradores, cuja participação proporcional no período mais do que triplica. Por sua vez, as ocupações burocráticas de rotina e as ocupações técnicas e científicas crescem rapidamente, mais do que duplicando sua participação proporcional entre 1960 e 1980. Para se ter uma idéia precisa da expansão quantitativa destas ocupações administrativas e técnico-científicas, basta registrar que o número de seus ocupantes eleva-se de 2,5 milhões em 1960 para 8,2 milhões em 1980.

Em termos de modificações da estrutura de classes, constatamos acima a tendência à incorporação de produtores simples de mercadorias e demais trabalhadores por conta própria no âmbito do trabalho assalariado. A esta tendência podemos acrescentar agora outra, consistente no processo de burocratização do trabalho através da geração de uma camada crescentemente diferenciada de administradores e burocratas interpostos entre os que detêm ou controlam o capital e os trabalhadores diretamente ligados à produção.

A última dimensão da evolução do emprego ao longo das duas dácadas estudadas consiste no exame das taxas de participação da população economicamente ativa por sexo e grupos de idade. Os dados pertinentes encontram-se na Tabela 1.2. Como observa Maria Helena F. T. Henriques com relação à evolução da atividade econômica dos homens:

"Para o sexo masculino a tendência acompanha aquela historicamente verificada nas sociedades do mundo capitalista desenvolvido. Ou seja, há uma clara retração ao longo do tempo na participação econômica dos menores de 25 anos, bem mais acentuada para os dois grupos de idade mais jovens (10 a 14 e 15 a 19 anos). Por outro lado, o ponto modal da curva se localiza a uma idade mais jovem e ela como um todo torna-se mais concentrada. Para as idades maiores do que 50 anos também é observado o fenômeno de retração, ainda que em menor escala do que nos limites inferiores da distribuição. A aceleração da urbanização explica em grande parte o ocorrido".[5]

É na participação econômica feminina que ocorrem as modificações mais notáveis durante o período de vinte anos contemplado. Durante a década de 1960, com uma única exceção (15 a 19 anos), observa-se um ligeiro aumento nas taxas de atividade em todos os grupos de idade até o limite de 59 anos, devendo ser destacado que o maior incremento na taxa de atividade, de quase 9%, ocorre no grupo de idade de 20 a 24 anos. Porém, é na década de 1970 que acontece o grande aumento da participação econômica das mulheres. De fato, o aumento nas taxas de atividade é constatado em todos os grupos de idade até o limite de 69 anos. O mais significativo é que os grupos de idade entre 20 e 49 anos mostram um crescimento que oscila entre 10% e 14%. Como observa a autora citada:

"A esperada distribuição bimodal que é comum à participação feminina em sociedades capitalistas não se dá no caso brasileiro. A curva atual é mais elevada e mais concentrada que as anteriores e traduz um enorme incremento na atividade econômica feminina durante a última década".[6]

Tabela 1.2

TAXAS ESPECÍFICAS DE ATIVIDADE POR SEXO E GRUPOS DE IDADE: 1960 A 1980

Grupos de idade	Homens			Mulheres		
	1960	1970	1980	1960	1970	1980
10-14	26,28	19,16	19,95	5,61	6,36	8,37
15-19	81,09	62,19	64,92	25,74	24,45	31,36
20-24	90,77	88,65	90,50	19,84	28,67	38,50
25-29	98,55	94,28	96,34	22,00	22,77	36,32
30-34	98,47	96,91	95,92	17,10	21,16	35,14
35-39	95,80	95,38	94,50	16,65	20,39	34,20
40-44	97,21	93,92	90,50	16,83	20,28	31,70
45-49	94,77	92,33	85,00	16,16	13,67	28,50
50-54	94,39	87,80	84,00	15,12	16,52	24,50
55-59	89,94	82,61	77,00	13,76	14,19	18,90
60-64	95,14	73,54	64,90	14,40	11,37	13,50
65-69	62,89	62,71	51,50	6,33	8,77	13,00
70-74	48,05	47,05	36,50	5,50	7,50	4,90
75-79	33,00	30,00	21,50	5,00	4,50	2,50
80 e +	11,00	11,00	8,50	2,10	1,80	1,00

FONTE: Maria Helena F. da T. Henriques, *Considerações sobre a Evolução da População Economicamente Ativa no Brasil: 1940-1970, mimeo,* dez./79, Tabela 5, p. 9; IBGE, *Tabulações Avançadas.*

Este ingresso em massa das mulheres na força de trabalho faz com que a PEA feminina como proporção da PEA total aumente de 17,9% em 1960 para 20,9% em 1970 e 27,5% em 1980. Para esses mesmos anos, a participação feminina na PEA não-agrícola aumenta de 26,6% para 29,8% e 33,6%.

Recapitulando as principais constatações, vimos como o emprego relativo no setor primário da economia decresce rapidamente, ao mesmo tempo que aumenta aceleradamente o emprego na indústria e nos serviços modernos. Adicionalmente, verificou-se uma tendência à diminuição da proporção de trabalhadores por conta própria e sem remuneração. Estas tendências têm sido interpretadas como implicando uma melhoria qualitativa das condições de trabalho nos países em desenvolvimento, na medida em que representam um deslocamento de pessoas de empregos pouco produtivos e mal-remunerados para outros melhor remunerados e mais produtivos.[7]

No caso do Brasil, estas implicações positivas do desenvolvimento econômico têm sido neutralizadas, em larga medida, pelo processo de concentração da renda e pela provisão insuficiente, por parte do Estado, dos bens e serviços de consumo coletivo requeridos por uma população urbana em rápido crescimento.[8] Sem sequer considerar os efeitos da séria crise econômica em que o país mergulhou a partir de 1980, basta mencionar alguns elementos ilustrativos da deterioração das condições de vida dos estratos urbanos de baixa renda: aumento da mortalidade infantil durante boa parte da década de 1970, rápido aumento dos acidentes de trabalho (no próprio trabalho e no trajeto para o trabalho), deterioração e crescimento insuficiente da infra-estrutura urbana de transportes, crescente déficit habitacional e os decorrentes problemas de saneamento básico, manutenção de elevadas taxas de evasão escolar no ensino elementar e insuficiências no atendimento médico-hospitalar fornecido pelo sistema previdenciário. Outros exemplos poderiam ser adicionados mas, para concluir esta seção, faremos apenas algumas observações sobre a evolução do produto e dos salários nos anos de crescimento econômico acelerado e sobre o processo de concentração da renda entre 1960 e 1980.

As séries seguintes retratam a evolução do PIB *per capita,* dos salários na indústria de transformação, da construção civil e do salário mínimo urbano durante os anos do chamado "milagre" econômico brasileiro.

	Taxas de cresc. PIB *per capita* (a)	Salários ind. transformação 1970=100 (b)	Salários const. civil 1970=100 (c)	Salário mínimo urbano 1970=100 (d)
1968	8,1	94,6	—	106,8
1969	6,8	98,1	102,2	101,7
1970	5,8	100,0	100,0	100,0
1971	10,2	104,1	105,1	100,0
1972	8,7	113,5	102,8	102,8
1973	10,8	114,4	98,3	98,3
1974	6,8	117,0	100,0	91,5

a) Fonte: Werner Baer, "O Crescimento Brasileiro e a Experiência do Desenvolvimento", in Riordan Roett. *O Brasil na Década de 70*, Rio de Janeiro, Zahar, 1978, p. 73.

b) Fonte: PREALC-OIT, *Mercado de Trabajo en Cifras, 1950-1980*, Chile, PREALC, 1982, Quadro III.6, p. 154.

c) Fonte: PREALC-OIT, *ob. cit.* Salários de pedreiros, números-índice calculados a partir dos dados do Quadro III.6, p. 154.

d) Fonte: PREALC-OIT, *ob. cit.* Salário mínimo urbano das áreas metropolitanas, números-índice calculados a partir dos dados do Quadro III.6, p. 154.

Esses dados não requerem maiores comentários. Enquanto o PIB *per capita* cresceu nesses anos aproximadamente 73%, apenas os salários da indústria de transformação cresceram 23,7% no período. Levando-se em conta que se trata do salário médio por pessoa ocupada, incluindo portanto o pessoal administrativo, e que estes usufruíram ganhos salariais maiores do que os do pessoal ligado à produção, é possível concluir que os ganhos salariais destes últimos tenham sido inferiores. Quanto aos salários da construção civil, que estão praticamente atrelados ao nível do salário mínimo, oscilam ligeiramente em torno do índice-base de 1970, sem experimentar nenhum ganho ao longo desses anos. Por último, o salário mínimo perde, em termos reais, aproximadamente 14% do seu valor durante os anos do "milagre". Para se avaliar melhor este fato, deve-se levar em conta que ainda em 1980 um terço da população economicamente ativa se encontrava na faixa de rendimentos de até um salário mínimo.

Finalmente, são apresentados os dados sobre a evolução da distribuição de renda, mostrando a participação percentual dos rendimentos obtidos pela PEA para grupos selecionados de percentis:

26

Percentis	1960 %	1970 %	1980 %
Os 50% mais pobres	17,4	14,9	12,6
Os 10% mais ricos	39,6	46,7	50,9
Os 1% mais ricos	11,9	14,7	16,9

FONTE: Eduardo M. Suplicy, "A Concentração e o Presidente", *Folha de São Paulo*, 6.6.82. Os dados foram elaborados a partir dos Censos Demográficos de 1960, 1970 e 1980, FIBGE.

Nota-se, em primeiro lugar, que o muito estudado e debatido processo de concentração de renda da década de 1960 continua na década seguinte. Em 1960, os 10% mais ricos apropriavam-se de uma parcela do total dos rendimentos mais de duas vezes maior do que a que correspondia aos 50% mais pobres; em 1970, a mesma relação de apropriação passa a ser de três para um e chega ao nível de quatro para um em 1980. Em 1970, o 1% mais rico quase iguala sua parcela de rendimentos à que cabia aos 50% mais pobres, sendo que em 1980 esse mesmo 1% mais rico supera consideravelmente sua parte dos rendimentos com· relação à recebida pelos 50% mais pobres. Apesar da vigência do Estatuto da ʌTerra desde o governo Castelo Branco, a implantação do Funrural e a vigorosa propaganda do governo sobre a distribuição de títulos de propriedade da terra, particularmente na região Centro-Oeste, é no mundo rural onde a redistribuição da renda em favor dos mais ricos adquiriu as características mais aberrantes: entre 1970 e 1980, a participação dos 50% mais pobres da população economicamente ativa na agricultura decresceu de 22,4% para 14,9%, ao mesmo tempo que a participação do 1% mais rico aumentou de 10,5% para 29,3%. Noutras palavras, em 1980, o 1% mais rico da população economicamente ativa rural apropriava-se de uma parcela da renda duas vezes maior que aquela correspondente aos 50% mais pobres.

A despeito das rápidas transformações estruturais e modernização econômica, o Brasil encontra-se na pouco honrosa situação de ser o único, dentre os 32 países pesquisados, onde a participação na renda nacional dos 10% de famílias mais ricas supera os 50%.[9] Trata-se de um caso de concentração da renda ainda maior do que a notada na Coréia do Sul, Indonésia e Filipinas, países considerados como exemplos bem sucedidos de modernização conservadora e excludente.

Estrutura ocupacional e mobilidade social *

Cabe agora examinar a extensão em que o padrão de industrialização e de desenvolvimento econômico em geral, que, na seção anterior vimos afetar profundamente a estrutura do emprego, se refletiu na distribuição das chances de mobilidade social de nossa população. Em outras palavras, devemos discutir o impacto dos processos associados de urbanização e de industrialização — baseados na extensão das relações capitalistas no campo e na grande corporação oligopolista particular ou estatal, com seus pólos dinâmicos localizados na agricultura de exportação e na produção de bens de consumo duráveis — sobre a estrutura ocupacional brasileira. Aqui, o termo "estrutura ocupacional" está empregado no sentido de uma *relação* entre diversos estratos ocupacionais, constituindo-se esses estratos nas unidades reais de análise. Estaremos interessados não tanto nos indivíduos que compõem esses estratos, mas sobretudo no padrão de interrelacionamento entre esses subgrupos ocupacionais. Nesse contexto a nossa preocupação fundamental será a de avaliar como as recentes mudanças em nosso aparelho produtivo afetaram os padrões de recrutamento dos diversos estratos sociais, o que vale dizer, como moldaram a estrutura ocupacional brasileira atual.

Algumas questões de importância para a caracterização do efeito das mudanças estruturais vêm à mente. Por exemplo, como o acelerado processo de urbanização de nossa sociedade alterou as perspectivas ocupacionais dos indivíduos de origem rural? Tiveram eles amplo acesso a todos os estratos ou tiveram as suas chances de mobilidade limitadas a alguns desses estratos? Como a crescente burocratização de nossa estrutura social se refletiu no recrutamento dos grupos de ocupações não-manuais? Como ela se compara com a de outras sociedades? É propósito da presente seção tentar responder a questões desse tipo, para tanto lançando-se mão dos resultados referentes à mobilidade ocupacional no Brasil oriundos da Pesquisa Nacional por Amostragem de Domicílios, realizada pela Fundação IBGE em 1973.

---

* Nesta seção os totais analisados provêm de tabulações especiais das amostras de 1% dos Censos Demográficos de 1970 e 1980, excluindo-se os casos com falta de informação. Por esta razão, esses totais discrepam ligeiramente daqueles apresentados na seção anterior.

A análise que vamos fazer dos padrões de mobilidade vai estar ancorada numa escala ocupacional composta por dez estratos, hierarquicamente ordenados quanto a sua posição sócio-econômica (consoante a escala detalhada de ocupações apresentada em Silva, 1973)[10] e que podem genericamente ser descritos da seguinte forma:

Estrato 1: Trabalhadores na agropecuária

Estrato 2: Trabalhadores manuais em indústrias tradicionais e no artesanato

Estrato 3: Trabalhadores no serviço doméstico e cuidados pessoais

Estrato 4: Vendedores e balconistas

Estrato 5: Trabalhadores manuais em indústrias modernas

Estrato 6: Trabalhadores manuais nos transportes, comunicações e serviços em geral

Estrato 7: Trabalhadores não-manuais de rotina

Estrato 8: Proprietários (pequenos) no comércio e serviços

Estrato 9: Proprietários (pequenos) na agropecuária

Estrato 10: Administradores, técnicos e profissionais liberais

Algumas observações em relação à escala acima devem preliminarmente ser feitas. Em primeiro lugar, embora os estratos estejam hierarquicamente ordenados quanto a sua posição sócio-econômica *média*, observa-se por vezes um nível significativo de variação dentro desses estratos. Como conseqüência disso, verifica-se uma certa superposição entre eles. Por exemplo, a elevada superposição no posicionamento sócio-econômico das ocupações componentes dos estratos 2 a 4 (trabalhadores em indústrias tradicionais, no serviço doméstico e vendedores) faz com que não possamos caracterizar os movimentos entre esses estratos como envolvendo mobilidade "ascendente" ou "descendente". A maioria esmagadora desses movimentos provavelmente não implica nenhuma mudança relevante na posição sócio-econômica dos indivíduos assim móveis. Fato semelhante ocorre com os estratos 5 e 6 (trabalhadores em indústrias modernas e nos serviços) e com os estratos 7 e 8 (trabalhadores não-manuais de rotina e pequenos proprietários no comércio e serviços). Assim só podemos distinguir seis níveis de estratos não-ambiguamente hierarquizados, fato que vai exigir uma certa qualificação quando tratarmos da direção e tipos predominantes de movimento na mobilidade ocupacional no Brasil.

Uma segunda observação que gostaríamos de fazer diz respeito à linha manual/não-manual, estabelecida entre os estratos 6 e 7. É necessário que se tenha em mente que em ambos os lados dessa linha estão localizadas categorias ocupacionais que estão de fato na fronteira dessa linha (e. g. datilógrafos), sendo freqüentemente difícil a sua classificação em uma ou outra categoria daquela dicotomia. Nesses casos, o fator decisivo para resolver o dilema classificatório foi freqüentemente o situs ocupacional, ocupações de escritório sendo classificadas no grupo não-manual e vice-versa.

Os grupos 1 e 9 representam os estratos manual e não-manual, respectivamente, do setor rural em nossa hierarquia ocupacional. A categoria "trabalhadores de enxada" forma a grande maioria do estrato 1, representando cerca de 87% dos indivíduos nesse grupo em 1970. Como naquele ano os chamados "trabalhadores na pecuária" chegavam a aproximadamente 6% do total do mesmo estrato, essas duas categorias ocupacionais formam o conteúdo substantivo do estrato de "trabalhadores na agropecuária". De forma semelhante, "agricultores" e "pecuaristas" dão significado ao estrato 9, compondo mais de 96% das pessoas nesse estrato em 1970.

Como vimos anteriormente, quando consideramos o emprego no setor rural, verificamos que ele permaneceu virtualmente inalterado no que diz respeito ao número absoluto de pessoas empregadas ao longo da última década. Tanto em 1970 quanto em 1980, a agropecuária empregava cerca de 13 milhões de pessoas. No entanto — e aqui temos uma' das mais importantes características das mudanças recentes na estrutura do emprego em nossa sociedade — como a força de trabalho ocupada cresceu como um todo de cerca de 29 milhões de pessoas para mais de 42,5 milhões (ou seja: mais de 46% de expansão em uma década), a proporção de pessoas empregadas no setor rural declinou de um total superior a 45% em 1970 para pouco mais de 30% em 1980. Uma queda extremamente rápida, qualquer que seja o padrão de comparação que adotemos.

O virtual congelamento do número de pessoas empregadas no setor rural esconde, no entanto, uma significativa alteração nas relações de produção naquele setor. Conforme pode ser apreciado na tabela 2.1, enquanto que decaem dramaticamente formas tradicionais de inserção na estrutura produtiva, como a parceria e a meação, cresce substancialmente o número de empregados/volantes. Da mesma forma, o contingente de proprietários/empregadores quase dobrou no último decênio. Este é o reflexo da expansão das relações capitalistas no campo, baseada em modernas tecnologias de

TABELA 2.1

MUDANÇAS NO EMPREGO AGRÍCOLA (GRUPOS 1 E 9)
1970-1980

Ocupação	1970	%	1980	%
Proprietário/empregador	201.256	1,53	370.070	2,86
Conta própria	5.342.727	40,67	5.091.565	39,40
Parceiro/meeiro	1.678.513	12,77	890.247	6,89
Empregado/volante	3.334.648	25,38	4.536.326	35,11
Sem remuneração	2.582.269	19,65	2.034.634	15,74
Σ	13.139.413	100%	12.922.842	100%

Nota: Exclui os sem declaração.

FONTE: FIBGE, *Amostras dos Censos de 1970 e 1980, Tabulações Especiais*.

TABELA 2.2

TRABALHADORES MANUAIS NOS SETORES INDUSTRIAIS
(GRUPOS 2 E 5) 1970-1980

Indústrias	Ano	Posição da Ocupação			
		Empregados	Conta própria	Outros	Total
Tradicionais (grupo 2)	1970	2.854.171 (74,65%)	940.208 (24,59%)	29.170 (0,76%)	3.823.549 (100%)
	1980	4.725.124 (71,50%)	1.842.280 (27,88%)	41.590 (0,62%)	6.608.994 (100%)
Modernas (grupo 5)	1970	1.118.659 (86,25%)	171.403 (13,22%)	6.892 (0,53%)	1.296.954 (100%)
	1980	2.454.876 (88,67%)	305.590 (11,03%)	8.201 (0,30%)	2.768.667 (100%)

Nota: Exclui os sem declaração.

FONTE: FIBGE, *Amostras dos Censos de 1970 e 1980, Tabulações Especiais*.

produção. A grande propriedade, voltada para uma agricultura de exportação e utilizando intensivamente tanto fertilizantes quanto herbicidas, tem seu perfil de utilização de mão-de-obra grandemente alterado. A ação dos defensivos agrícolas resulta em uma bastante reduzida necessidade de força de trabalho para os tratos culturais, do que decorre uma crescente dispensa da mão-de-obra residente (permanente). Por outro lado a maior produtividade por área plantada exige um contingente maior de trabalhadores por ocasião da colheita, aumentando assim a demanda por trabalho sazonal (volantes). Por sua vez, a pequena produção familiar também se tecnifica, seguindo a tendência da grande propriedade à monocultura de exportação e parcialmente à mecanização de seu processo produtivo, liberando mão-de-obra que vai engrossar, seja o contingente dos trabalhadores volantes, seja o fluxo daqueles que se dirigem às áreas urbanas. Essa mudança na pequena produção pode ser observada na diminuição no número de trabalhadores por conta própria e de trabalhadores (familiares) sem remuneração.

Contrastando com o caso da agropecuária, o emprego no setor industrial se expandiu muito na última década. Em nossa classificação, o emprego industrial está representado por dois estratos ocupacionais distintos: um "tradicional", composto por ocupações nas indústrias têxtil, do couro, do vestuário, de madeira e de móveis, construção civil, de alimentação e bebidas, de cerâmica e de vidro, e por outras ocupações de função sócio-econômica semelhante; um estrato "moderno", incluindo ocupações em setores industriais de ponta, de elevado nível de capitalização e larga escala de produção, tais como as indústrias metalúrgica, mecânica e eletrônica, e a extração do petróleo e gás. Essas últimas foram as áreas mais dinâmicas da economia brasileira, em larga medida responsáveis pelo extraordinário crescimento do produto nos anos iniciais do último decênio, período em que esse crescimento atinge de 10 a 12% ao ano. Embora o ritmo de crescimento do produto industrial tenha caído ao longo da década, ele ainda registrava um nível de 7,8% em 1979.

As ocupações nas indústrias tradicionais se expandiram consideravelmente durante os anos 70, atingindo o ano de 1980 com 73% a mais de trabalhadores do que dez anos antes (v. o quadro 2.2) e ampliando a sua participação relativa na força de trabalho ocupada de 13,2% para 15,6% durante esse período. Esse estrato forma o maior contingente de trabalhadores não-agrícolas, abrigando um considerável número de indivíduos exercendo atividades por conta própria, aproximadamente 25% dos trabalhadores no estrato.

Coerente com as altas taxas de crescimento durante a década, o estrato de trabalhadores em indústrias "modernas" se expandiu extraordinariamente, mais que dobrando nesse período. Sua participação relativa na mão-de-obra ocupada cresce em mais de 2%, atingindo a 6,5% do total em 1980. Aqui a incidência do trabalho por conta própria é bem mais reduzida do que no caso do estrato industrial "tradicional", aproximadamente 12% do total. Além disso um exame da categoria trabalho por conta própria ao longo dos títulos ocupacionais detalhados no censo de 1970 indica que um número muito reduzido de ocupações — mecânicos, ferreiros, eletricistas e radio-técnicos — é responsável por 77% dos indivíduos nessa categoria.

Os trabalhadores manuais no comércio e serviços estão representados por três estratos distintos, a saber: "trabalhadores no serviço doméstico e cuidados pessoais" (estrato 3), "balconistas e vendedores" (estrato 4) e "trabalhadores em comunicações, transporte e serviços em geral" (estrato 6). Os três estratos, como de resto é o caso de todos os grupos ocupacionais urbanos, se expandiram substancialmente durante os anos 70 (cerca de 77%), especialmente o estrato 6, que cresceu quase 84% durante o período. Comparando com os outros estratos urbanos, no entanto, o grupo de balconistas e vendedores (estrato 4) teve uma expansão relativamente modesta, crescendo 65% no mesmo período. Trata-se de um valor bastante inferior à média geral observada entre os demais estratos do setor urbano (consulte-se a tabela 2.3).

Embora cada um dos estratos referidos acima inclua uma gama variada de títulos ocupacionais, em todos eles um número reduzido de ocupações predominam e os caracterizam. Assim, no grupo de "trabalhadores no serviço doméstico e cuidados pessoais", os "empregados domésticos" e os "porteiros, vigias e serventes" dão conta de mais de 80% das pessoas nesse estrato em 1970. De maneira similar, o grupo 4 é composto essencialmente por duas ocupações: "vendedores ambulantes", compondo a quase totalidade dos "conta própria" nesse estrato, e "balconistas e entregadores", composto maciçamente por assalariados. Caracterizando o grupo 6, temos os motoristas, os estivadores e as telefonistas e demais ocupações de posição sócio-econômica semelhante. Ressalta-se que a classe "motoristas" é responsável por mais de 72% dos trabalhadores por conta própria nesse estrato em 1970, embora a grande maioria das pessoas ocupadas como motoristas seja assalariada.

A acelerada burocratização de nossa sociedade redundou num crescimento espetacular dos estratos não-manuais urbanos ligados di-

TABELA 2.3

TRABALHADORES MANUAIS NO COMÉRCIO E SERVIÇOS
(GRUPOS 3, 4 E 6) 1970-1980

Estrato	Ano	Posição na ocupação			
		Empregado	Conta própria	Outra	Total
Serviços domésticos e cuidados pessoais (grupo 3)	1970	2.663.954 (89,59%)	303.034 (10,19%)	6.616 (0,22%)	2.973.604 (100%)
	1980	4.724.326 (89,78%)	464.330 (8,82%)	73.673 (1,40%)	5.262.329 (100%)
Vendedores e balconistas (grupo 4)	1970	828.398 (72,64%)	282.961 (24,81%)	29.110 (2,55%)	1.140.469 (100%)
	1980	1.381.480 (73,36%)	436.703 (23,19%)	64.860 (3,45%)	1.883.043 (100%)
Transportes, comunicações e serviços em geral (grupo 6)	1970	1.347.563 (82,52%)	278.892 (17,08%)	6.549 (0,40%)	1.633.004 (100%)
	1980	2.366.165 (78,91%)	568.798 (18,97%)	63.463 (2,12%)	2.998.426 (100%)

Nota: Exclui os sem declaração.

FONTE: FIBGE, Amostras dos Censos de 1970 e 1980, Tabulações Especiais.

reta ou indiretamente à grande empresa e ao setor governo. Em particular, conforme pode ser observado na tabela 2.4, o topo de nossa hierarquia ocupacional (o estrato de administradores e profissionais liberais) quase triplicou no último decênio, atingindo 1980 com uma força ocupada superior a 2,5 milhões de pessoas. Isso significa que a *proporção* de pessoas nesse estrato dobrou durante o referido período. Embora com crescimento bem menos pronunciado, o grupo não-manual de rotina também cresceu bem acima da média dos outros estratos urbanos, sendo o número de trabalhadores nesse estrato em 1980 mais de 90% superior àquele observado em 1970. Assim, a expansão acelerada dos estratos não-manuais (excetuado aquele ligado à pequena propriedade urbana, o qual apresentou um crescimento relativamente baixo durante o período em questão, diminuindo o seu peso relativo entre os estratos urbanos), juntamente com a estagnação absoluta e esvaziamento relativo do estrato de trabalhadores rurais, são as características mais importantes das recentes mudanças na estrutura do emprego no Brasil. O número absoluto de trabalhadores não-manuais mais que dobrou nos últimos dez anos, atingindo a 1/4 da força de trabalho ocupada em 1980.

As mudanças na estrutura do emprego delineadas anteriormente tiveram, sem dúvida, um forte impacto sobre os padrões da mobilidade social no Brasil. Para avaliarmos o quão forte foi esse impacto lançaremos mão, como já foi dito, de dados originários da Pesquisa Nacional por Amostra de Domicílios (PNAD) de 1973.[11] Da amostra na PNAD 73 foi selecionado um subconjunto constituído de indivíduos do sexo mesculino com idade entre 20 e 64 anos. Esta é a amostra utilizada aqui e seu tamanho (incluindo os casos com falta de informações) é de 83.891 observações.

As informações nessa pesquisa referentes à ocupação atual do respondente, à sua primeira ocupação e à ocupação de seu pai no momento em que o respondente entrou no mercado de trabalho foram codificadas nos dez estratos ocupacionais descritos anteriormente. A partir dessa escala ocupacional foram construídas três tabelas cruzadas, caracterizando respectivamente a mobilidade ocupacional total (i.e. ocupação do pai x ocupação atual do respondente), mobilidade intergeracional *strictu sensu* (i.e. ocupação do pai x primeira ocupação) e a mobilidade intrageracional ou "de carreira" (i.e. primeira ocupação x ocupação atual). Estas informações são apresentadas nas tabelas 2.5 a 2.7. Examinemos inicialmente os dados relativos à mobilidade ocupacional total. As linhas da tabela 2.5 correspondem às dez categorias da variável ocupação do pai do respon-

TABELA 2.4

TRABALHADORES NÃO-MANUAIS

1970-1980

Estrato	Ano	Posição na ocupação			
		Empregado	Conta própria	Outras *	Total
Trabalhadores não-manuais de rotina (grupo 7)	1970	3.102.306 (94,83%)	155.961 (4,77%)	12.983 (0,40%)	3.271.250 (100%)
	1980	5.977.778 (95,64%)	249.293 (3,99%)	23.291 (0,37%)	6.250.362 (100%)
Proprietários (pequenos) no comércio e serviços (grupo 8)	1970	0	753.685 (88,88%)	94.293 (11,12%)	847.978 (100%)
	1980	0	979.265 (71,51%)	390.091 (28,49%)	1.369.356 (100%)
Administradores e profissionais liberais (grupo 10)	1970	704.238 (76,19%)	94.266 (10,20%)	125.798 (13,61%)	924.302 (100%)
	1980	2.012.901 (78,94%)	157.217 (6,17%)	379.799 (14,89%)	2.549.917 (100%)

Notas: * Inclui "empregadores". Excluídos os sem declaração.

FONTE: FIBGE, Amostras dos Censos de 1970 e 1980, Tabulações Especiais.

TABELA 2.5

MOBILIDADE OCUPACIONAL TOTAL, BRASIL - 1973

Ocupação do pai do respondente	Ocupação atual do respondente										
	1	2	3	4	5	6	7	8	9	10	Total
1	17.796	7.525	2.127	1.244	2.227	2.484	2.154	1.660	1.424	899	39.540
2	546	1.915	383	278	831	613	1.000	191	50	424	6.231
3	54	284	171	89	261	201	341	5	1	109	1.561
4	46	184	56	126	115	120	188	67	4	100	1.006
5	39	238	79	55	484	170	334	56	8	159	1.622
6	59	311	127	107	305	467	562	64	4	268	2.274
7	94	280	116	116	276	326	1.049	108	11	629	3.005
8	137	240	131	250	227	375	824	467	67	710	3.428
9	959	351	141	112	161	272	473	250	803	364	3.886
10	43	150	48	53	139	228	578	106	26	980	2.351
	19.773	11.478	3.379	2.430	5.026	5.256	7.503	3.019	2.398	4.642	64.904

FONTE: FIBGE, PNAD-73, Tabulações Especiais.

TABELA 2.6

MOBILIDADE OCUPACIONAL INTERGERACIONAL, BRASIL - 1973

Ocupação do pai do respondente	1.ª ocupação do respondente										Total
	1	2	3	4	5	6	7	8	9	10	
1	34.777	2.596	686	1.015	471	323	498	74	5	76	40.521
2	841	3.017	648	827	488	201	393	11	0	33	6.459
3	105	475	353	276	148	86	167	2	2	7	1.621
4	74	223	127	377	84	41	96	3	0	8	1.033
5	80	439	186	214	479	83	188	1	1	14	1.685
6	113	674	316	396	255	199	360	9	0	22	2.344
7	240	550	351	421	219	212	983	10	0	127	3.113
8	211	398	405	1.353	156	187	644	71	3	127	3.555
9	2.899	198	87	185	73	73	300	46	23	80	3.964
10	68	371	236	285	183	204	864	17	3	278	2.509
	39.408	8.941	3.395	5.349	2.556	1.609	4.490	244	37	772	66.804

FONTE: FIBGE, *PNAD-73, Tabulações Especiais.*

TABELA 2.7
MOBILIDADE OCUPACIONAL INTRAGERACIONAL, BRASIL - 1973

1ª ocupação do respondente	Ocupação atual do respondente (1973)										Total
	1	2	3	4	5	6	7	8	9	10	
1	20.926	7.985	2.282	1.182	1.993	2.438	1.869	1.675	2.310	737	43.397
2	862	4.217	674	440	1.445	1.358	1.441	418	91	566	11.512
3	89	566	746	224	443	492	1.138	194	19	632	4.543
4	205	831	351	969	564	764	1.498	780	84	793	6.839
5	62	273	86	86	1.490	457	432	102	10	315	3.293
6	67	193	75	69	214	685	353	87	18	331	2.092
7	37	115	100	104	182	406	3.036	185	45	1.780	5.990
8	9	24	11	21	6	28	50	122	17	42	330
9	1	0	1	0	0	3	3	2	33	3	46
10	2	7	3	9	6	40	148	38	7	737	997
	22.260	14.211	4.329	3.104	6.343	6.671	9.968	3.603	2.634	5.936	79.039

FONTE: FIBGE, PNAD/73, Tabulações Especiais.

dente. As colunas representam a ocupação atual (ou seja, em novembro/73) que o respondente desempenha. É importante que se frise que os totais marginais das linhas não representam a distribuição ocupacional de uma "geração" de pais, mas sim meramente uma distribuição ocupacional *hipotética* correspondendo ao caso em que todos os respondentes pertencem aos mesmos estratos ocupacionais que seus respectivos pais. A amostra tomada é uma amostra de "filhos" e várias razões, sendo a mais importante delas a existência de diferenciais de fecundidade ao longo dos estratos ocupacionais, desaconselham uma interpretação rígida da mobilidade que relaciona as ocupações de pais e filhos como uma transformação demográfica que leva uma geração de pais a ser substituída por uma geração de filhos.[12] Daí ter a diferença entre os marginais de linha e os de coluna uma interpretação um tanto precária como uma mudança ou mobilidade "estrutural", dado que essa diferença corresponde a um amálgama de efeitos, somente alguns deles podendo ser adequadamente descritos como "estruturais". Assim, embora seja usual a referência a uma "mobilidade estrutural" ou "mobilidade induzida", aquela representada pela diferença dos marginais da tabela de mobilidade, é importante ter-se em mente a precariedade e a especificidade do conceito de "estrutural" neste contexto. Uma vez que tenhamos essas restrições em mente, é importante que se diga que acreditamos que as mudanças no perfil ocupacional no tempo constituam o elemento primordial na "mobilidade estrutural" conforme usualmente mensurada, o que empresta uma certa validade a esta como uma medida da extensão possível do efeito das mudanças no padrão do emprego sobre a mobilidade ocupacional. Daí lançarmos mão dela nas considerações que se seguem.

Quando examinamos a mobilidade total, ou seja, a relação entre ocupação do pai e a ocupação atual do respondente, o fato mais notável é provavelmente a larga predominância da mobilidade *ascendente*. Quase a metade dos indivíduos observados estão localizados acima da diagonal principal da Tabela 2.5, o que significa dizer que desempenham atualmente uma ocupação socialmente superior à de seus pais. Mesmo quando consideramos os grupos ocupacionais de uma forma mais estreita, admitindo apenas seis níveis hierárquicos entre eles (conforme discutido anteriormente), a proporção de indivíduos móveis ascendentes ainda atinge aproximadamente 46% dos casos na amostra. Os indivíduos em situação inversa, isto é, em posição inferior a de seus pais, constituem apenas cerca de 13% da amostra. Qualquer que seja a maneira pela qual examinemos a mobi-

lidade ocupacional no Brasil, o fato de sua enorme extensão salta
à vista. Por exemplo, se considerarmos os fluxos de saída dos diversos grupos ocupacionais de origem (*outflows*), verificamos que 55%
dos filhos de trabalhadores rurais estão atualmente empregados fora
da agricultura, sendo que destes indivíduos móveis de origem agrícola cerca de 29% se encontram atualmente em ocupações não-
manuais. Outro aspecto marcante dos fluxos de saída é a atração
exercida pelas ocupações não-manuais de rotina (estrato 7) sobre os
estratos manuais urbanos, recrutando em média 20% dos indivíduos
com esta origem social. Assim, no Brasil como em outras sociedades
capitalistas, o estrato inferior do grupo não-manual parece ser um
ponto de ancoragem muito freqüente no caminho da mobilidade
ascendente dos indivíduos oriundos da classe trabalhadora. De maneira semelhante, esse estrato parece também estabelecer um limite
marcante para os filhos de trabalhadores não-manuais em processo
de descenso social. Apesar da clara existência dessa barreira, menos
da metade dos filhos de profissionais liberais (estrato 10) conseguiu
manter uma posição equivalente à de seus pais, sendo que cerca de
28% deles desceram ao nível de trabalhadores manuais.

Invertendo agora o sentido da análise, examinando-se os fluxos
de entrada nos diversos estratos (*inflows*), podemos apreciar a composição social de cada um deles. O primeiro fato que clama por
uma atenção é o forte recrutamento por *todos* os estratos de trabalhadores oriundos da agropecuária. Esse recrutamento atinge um
máximo no próprio estrato de trabalhadores na agricultura, onde
chega ao nível de 90%, e decai sistematicamente (ignorando-se por
ora os estratos de pequenos proprietários) até o topo da hierarquia
ocupacional. Mas mesmo dentro desse último estrato, os filhos de
trabalhadores agrícolas ainda atingem uma elevada proporção, constituindo quase 1/5 dos atuais profissionais liberais e administradores.

O elevado nível de auto-recrutamento dos trabalhadores agrícolas aliado à grande proporção de atuais proprietários na agropecuária
recrutados entre os filhos de trabalhadores agrícolas indicam o isola-
mento dos estratos rurais em relação aos demais estratos no que
tange à sua composição social. Sem dúvida, quase ninguém fora da
agropecuária se torna trabalhador ou proprietário nesse setor: cerca
de 95% dos trabalhadores e 98% dos proprietários são oriundos de
famílias desses mesmos estratos. Por outro lado, o fato de mesmo
os proprietários urbanos em comércio e serviços serem maciçamente
arregimentados entre os trabalhadores oriundos da agropecuária

(mais de 63% deles tinham pais nos estratos 1 e 9) indica a precariedade e a modéstia dessa propriedade.

Assim, quando se examinam os fluxos de entrada dos diversos estratos, torna-se evidente que as classes dirigentes brasileiras são recrutadas em largas proporções em todos os estratos da hierarquia ocupacional. Por exemplo, 42% dos indivíduos atualmente no topo da hierarquia ocupacional têm origem em estratos manuais. A mobilidade social no Brasil revela-se portanto muito elevada e, embora predominem os fluxos de curta distância, freqüentemente envolve movimentos longos como os exemplificados acima. Cabe então indagar sobre as causas de tão extensivo recrutamento.

Em primeiro lugar, devemos examinar a importância de mudanças estruturais (lembrando sempre das restrições apontadas anteriormente) e do processo de migração rural-urbano em particular, na conformação dos padrões de mobilidade. A centralidade do processo de migração, que já deveria estar clara da discussão acima, torna-se ainda mais indiscutível quando observamos que 73% dos indivíduos com mobilidade ascendente em nossa sociedade são originários do estrato de trabalhadores agrícolas. Como observa Pastore, [13] "fica clara a existência de uma intensa movimentação na base da pirâmide social brasileira que, por sua vez, vem associada às transformações ocorridas no mercado de trabalho agrícola e aos intensos fluxos negativos nos últimos 50 anos (. . .) Os movimentos de ascensão social dos estratos que compõem a "classe média" assumiram proporções menores, porém, não desprezíveis. Quando se considera que para os filhos da "classe média" havia bem menos espaço social para percorrer, a mobilidade verificada é bastante significativa para os três estratos médios".

A avaliação dos efeitos das mudanças estruturais é normalmente feita através de um índice de dissimilaridade ($\triangle$) entre os dois marginais de linha e de coluna. [14] Aplicando esse índice à nossa matriz de mobilidade total, observamos que a mobilidade "estrutural" atinge um nível de 33,4% dos casos, representando 57% de toda a mobilidade observada. Em outras palavras, mais de 1/3 dos indivíduos na sociedade brasileira experimentaram um processo de mobilidade ocupacional que tem origem em mudanças na estrutura econômica e demográfica dessa sociedade.

Para que se possa ter uma idéia mais clara da profundidade das mudanças "estruturais" na sociedade brasileira, é útil comparar o índice obtido acima com outros referentes a outros países. Para tanto, teremos que agregar a matriz de mobilidade a uma tricotomia composta pelos estratos trabalhadores na agropecuária, trabalhadores manuais urbanos e trabalhadores não-manuais. No caso específico da sociedade brasileira, a imposição dessa tricotomia não deve fazer muita violência à realidade, uma vez que ela parece corresponder a clivagens básicas da nossa estrutura de classes.[15] A agregação proposta reduz o índice de mobilidade estrutural ao nível de 30,4%, valor que é comparado aos de um conjunto de sociedades modernas, tanto capitalistas quanto socialistas, apresentados na Tabela 2.8. Mesmo assim, a mobilidade "induzida" no Brasil é claramente superior a de todos os outros países examinados, o valor mais próximo sendo aquele obtido para o Japão durante a década de 1960. Observe-se que, para todos os países, o índice de mobilidade estrutural reflete a diferença na proporção de trabalhadores empregados na agricultura entre as distribuições de origem e de destino, o que nos dá uma imagem da extensão da mudança no perfil urbano-rural experimentada recentemente pela sociedade brasileira. Acreditamos que se trata de uma das experiências mais radicais já observadas em qualquer sociedade.

Uma outra questão que deve ser respondida é aquela relativa ao efeito das mudanças estruturais sobre a mobilidade de circulação. Como as alterações no perfil ocupacional entre a origem e o destino social dos indivíduos alteram os padrões de mobilidade empiricamente observáveis? Que rotas de mobilidade estão sendo estranguladas e quais as que estão sendo ampliadas? Para tanto precisamos estimar o padrão assumido pela mobilidade de circulação, para que então, por comparação com os padrões reais observados, possamos inferir os efeitos das mudanças estruturais que queremos estudar.

Pullum [16] sugere um método iterativo de ajustamento proporcional de tabelas, usualmente associado aos nomes de Dening e Stephan, para se estimar a mobilidade "por trocas". A referida técnica permite o ajustamento das células de uma tabela de forma a que marginais determinados *a priori* sejam obtidos, preservando-se todas as interações que caracterizam a tabela original.[17] Assim, se equalizarmos a distribuição de destino à distribuição de origem em nossa tabela de mobilidade total, estaremos respondendo à questão: qual seria o padrão de mobilidade ocupacional na ausência de mudança "estrutural"? A matriz estimada de mobilidade "por trocas" que responde a essa indagação está apresentada na Tabela 2.9 e sua comparação com a matriz de mobilidade real (Tabela 2.5) nos permitirá melhor avaliar o efeito das mudanças estruturais sobre o regime de mobilidade.

TABELA 2.8

DISTRIBUIÇÃO DE ORIGEM, DISTRIBUIÇÃO DE DESTINO E MOBILIDADE ESTRUTURAL EM TABELAS 3x4 DE MOBILIDADE OCUPACIONAL PARA DEZ PAÍSES: HOMENS ADULTOS

País e Ano		Distribuição de origem			Distribuição de destino		Índice de mobilidade estrutural
		Rural	Manual	Não-Manual	Rural	Manual	Não-Manual	
Checoslováquia	(1967)	39,4	47,9	12,7	14,0	52,8	33,1	25,4
Hungria	(1973)	49,9	40,4	9,7	26,7	52,9	20,4	23,2
Polônia	(1972)	54,8	36,7	8,5	28,7	51,6	19,7	26,1
Estados Unidos	(1973)	23,2	47,3	29,5	4,3	49,7	46,0	18,9
França	(1964)	34,3	33,6	32,1	17,2	46,7	36,1	17,1
Alemanha Ocidental	(1969)	35,6	25,0	39,4	20,7	31,9	47,4	14,9
Japão	(1965)	48,0	22,6	29,4	19,4	35,6	45,0	28,6
Filipinas	(1968)	81,1	10,2	8,7	67,6	19,1	13,3	13,5
Brasil	(1973)	60,9	19,6	19,5	30,5	42,5	27,0	30,4

FONTE: Simkuss (1981) e Tabela 2.5.

TABELA 2.9

MOBILIDADE DE CIRCULAÇÃO TOTAL
(TABELA AJUSTADA PELO MÉTODO DE DENING-STEPHAN)

Ocupação do pai do respondente	Ocupação atual do respondente									
	1	2	3	4	5	6	7	8	9	10
1	32.010	2.466	565	260	318	500	331	1.025	1.909	156
2	2.522	1.607	260	149	305	218	395	305	175	195
3	350	331	162	65	136	143	187	110	6	71
4	260	188	45	84	52	78	91	131	19	58
5	279	312	84	45	276	136	199	136	45	110
6	415	396	128	84	170	375	341	158	19	188
7	656	360	116	91	157	249	630	260	58	428
8	732	234	104	157	98	224	380	863	266	370
9	2.004	136	45	26	26	65	84	179	1.250	71
10	312	201	52	45	84	186	367	261	139	704

FONTE: Tabela 2.5.

Como vimos anteriormente, estima-se a mobilidade "estrutural" agregada através do índice de dissimilaridade entre as distribuições marginais de origem e destino da matriz de mobilidade. Podemos, no entanto, estimar para cada estrato ocupacional a mudança relativa naquele estrato:

$$P_{(j)} = \frac{F_j - P_j}{P_j}$$

onde F_j e P_j são os marginais inferior e direito da matriz de mobilidade, respectivamente. Valores negativos de $P_{(j)}$ indicam que o impacto das mudanças "estruturais" atua no sentido de esvaziar a categoria j, da mesma forma que valores positivos indicam um efeito no sentido de ampliar a participação relativa da categoria j. Para os nossos estratos ocupacionais, os valores de $P_{(j)}$ oriundos da matriz de mobilidade total estão listados na última linha da Tabela 2.10.

Três grupos aparecem como submetidos a um impacto dos fatores estruturais no sentido de esvaziamento da categoria: os dois estratos de pequenos proprietários e o estrato de trabalhadores rurais. A par da extensa migração rural-urbana, um componente importante desse esvaziamento relativo (ou melhor dizendo, *deserdação* social) é o elevado nível de reprodução biológica nesses estratos. A combinação da alta fecundidade não compensada pela mortalidade, com a modéstia da propriedade, leva a que esses grupos ocupacionais sirvam de reservatório demográfico para os demais estratos. O grupo de trabalhadores rurais chega a apresentar uma deserança líquida de 50%. Em contrapartida, os outros estratos sofreram impactos positivos, sendo particularmente importantes aqueles relativos aos estratos de trabalhadores manuais em indústrias modernas e de trabalhadores não-manuais de rotina, os quais apresentam ganhos líquidos de 210% e 150%, respectivamente. Acreditamos que o crescimento desses estratos pode ser facilmente explicado pelas mudanças no sistema produtivo, conforme discutimos anteriormente.

Quanto aos efeitos das mudanças estruturais sobre cada fluxo específico, podemos medi-los através da comparação entre os fluxos estimados para a mobilidade "por trocas" e os fluxos reais observados. Ou seja, para cada origem i e o destino j o efeito dos fatores estruturais sobre os fluxos [18]

$$P_{ij} = \frac{M_{ij} - V_{ij}}{V_{ij}}$$

TABELA 2.10

EFEITO DA MUDANÇA ESTRUTURAL SOBRE OS FLUXOS DE MOBILIDADE

Ocupação do pai do respondente	Ocupação atual do respondente									
	1	2	3	4	5	6	7	8	9	10
1	-0,44	2,05	2,79	3,82	5,95	3,96	5,48	0,62	-0,26	4,67
2	-0,78	0,19	0,47	0,88	1,71	0,93	1,52	-0,37	-0,71	1,21
3	-0,85	-0,19	0,06	0,35	0,94	0,39	0,81	-0,55	-0,79	0,58
4	-0,82	-0,04	0,20	0,53	1,20	0,57	1,05	-0,49	-0,76	0,79
5	-0,86	-0,23	-0,05	0,22	0,75	0,25	0,64	-0,59	-0,81	0,43
6	-0,86	-0,22	-0,03	0,23	0,77	0,27	0,66	-0,59	-0,81	0,45
7	-0,86	-0,21	-0,02	0,24	0,79	0,28	0,67	-0,58	-0,81	0,46
8	-0,81	0,03	0,271	0,62	1,33	0,67	1,18	-0,46	-0,75	0,90
9	-0,52	1,63	2,26	3,16	4,99	3,28	4,59	0,39	-0,36	3,89
10	-0,86	-0,25	-0,07	0,19	0,71	0,22	0,60	-0,60	-0,82	0,40
P (I) =	-0,50	0,84	1,17	1,42	2,10	1,31	1,50	-0,12	-0,38	0,97

FONTE: Tabela 2.5.

onde M_{ij} são os fluxos na matriz de mobilidade total (tabela 2.5) e V_{ij} são os fluxos na mobilidade "por trocas". Os resultados do cálculo de todos os efeitos P_{ij} estão apresentados nas células da tabela 2.10. As perdas líquidas de cada estrato, resumidas brevemente acima, ordenam segundo uma lógica hierárquica os diversos fluxos específicos que podem ser descritos da seguinte maneira:

1) Os estratos rurais, tanto de trabalhadores quanto de proprietários, têm todos os seus fluxos de entrada (colunas 1 e 9) negativos, indicando forte estrangulamento desses fluxos. Por outro lado, todos os fluxos de saída desses estratos são positivos e elevados. Claramente, trata-se de estratos com nível de forte deserdação social. O efeito das mudanças "estruturais" nesse caso é no sentido de restringir a mobilidade para esses estratos e ampliar a mobilidade para fora dos mesmos.

2) Fenômeno paralelo ocorre com o grupo de pequenos proprietários urbanos. Todos os fluxos de entrada são restritos, com exceção dos oriundos de estratos rurais. Em contrapartida, todos os fluxos de saída são ampliados, exceto aqueles de direção rural. Ou seja, há uma deserdação forte desse estrato a favor dos demais estratos urbanos, ao mesmo tempo que se bloqueia o acesso a ele.

3) O processo se repete para os estratos de trabalhadores manuais em indústrias tradicionais e no artesanato e de trabalhadores nos serviços domésticos e cuidados pessoais. As mudanças "estruturais" nesse caso agem no sentido de ampliar tanto a captura de pessoas oriundas dos três estratos mencionados acima quanto os fluxos de saída para os estratos restantes. Como são exatamente esses dois estratos aqueles que recebem a parcela mais significativa dos trabalhadores manuais de origem rural (48% dos filhos dos trabalhadores rurais migrantes se encontram atualmente nesses estratos), a sugestão que fica é a de exercerem eles um papel de "estação de distribuição" intergeracional no caminho que leva o migrante e seus filhos a setores modernos da sociedade.

4) Finalmente, as mudanças "estruturais" têm por efeito o aumento da mobilidade entre os demais estratos, tanto na direção ascendente como na descendente, restringindo portanto a herança ocupacional nesses grupos ocupacionais.

A decomposição da mobilidade em mobilidade inter e intrageracional mostra que aquela de fato esconde dois movimentos com padrões muito distintos. Na mobilidade intergeracional *strictu sensu* (tabela 2.6) predomina largamente a imobilidade e mesmo entre os móveis é maior a mobilidade descendente do que a ascendente: 61% dos indivíduos na amostra iniciaram suas carreiras no mesmo estrato ocupacional que seus pais estavam naquele momento além disso, 24% dos casos observados entraram no mercado em função inferior àquela ocupada por seus pais. Essa predominância da mobilidade descendente sobre a ascendente não é, entretanto, muito marcada (uma diferença de aproximadamente 8,5%), e tanto a mobilidade ascendente como a descendente são predominantemente de curta distância. Ou seja, há uma forte tendência de que os indivíduos comecem suas carreiras em posições iguais ou semelhantes (com ligeira preponderância de posições inferiores) àquelas que seus pais ocupavam naquele momento.

O padrão da mobilidade intrageracional contrasta decisivamente com o descrito acima. Aqui a mobilidade ascendente predomina largamente, tendo mais da metade (58,3%) dos indivíduos da amostra experimentado carreiras ascendentes. A proporção de indivíduos com carreiras descendentes é muito baixa, inferior a 7% dos casos observados. Assim, enquanto que ao iniciarem suas carreiras as pessoas tendem a reproduzir a situação de seus pais, a maioria dessas pessoas experimenta uma melhoria em relação à posição inicial. A predominância da mobilidade ascendente observada na mobilidade total dos indivíduos é, portanto, fundamentalmente um fenômeno que ocorre durante as suas carreiras no mercado de trabalho.

Oportunidades sociais: sexo e raça

Como em toda sociedade multiracial, no Brasil a adscrição sexual e racial constitui elemento fundamental da divisão social no trabalho, da estruturação de oportunidades sociais e da distribuição de recompensas materiais e simbólicas.

Não só sexo e raça funcionam como critérios eficazes na alocação diferencial dos indivíduos na estrutura de classes e na hierarquia ocupacional, como também tem sido sugerido que a composição por sexo (e raça) das diferentes ocupações contribui na determinação (parcialmente arbitrária) de certas características dessas ocupações, tais como nível atribuído de habilidade e remuneração. [19] O objetivo desta seção é descrever sumariamente o efeito das mudanças na estrutura social e do crescimento econômico das últimas décadas sobre as oportunidades sociais e condição sócio-econômica das mulheres e dos negros. Esta tarefa é relativamente mais simples para o caso das mulheres, devido à disponibilidade de dados. Com relação à população negra (pretos e pardos), a única base inicial de comparação está no Censo Demográfico de 1950 e a sua categorização dos dados não é estritamente comparável à das poucas informações disponíveis para o período mais recente.

As definições tradicionais dos papéis adequados de mulheres e negros na sociedade representaram, historicamente, uma desvantagem no acesso desses grupos à educação formal.

As formas de discriminação sofridas por mulheres e negros no mercado de trabalho assumem características relativamente diferentes. A participação feminina na força de trabalho tem se caracterizado pelo elevado grau de concentração das mulheres economicamente ativas em umas poucas ocupações e por formas de segregação ocupacional horizontal e vertical.

> "O trabalho está distribuído tanto horizontalmente entre diferentes indústrias ou processos de trabalho como verticalmente dentro de cada processo de trabalho. Dentro da distribuição tanto horizontal como vertical do trabalho, mulheres e homens estão concentrados desigualmente de forma tal que uma grande proporção de empregos são predominantemente masculinos ou femininos". [20]

Essa segregação ocupacional das mulheres ocorre tanto em setores econômicos (atividades sociais, prestação de serviços), como em ocupações específicas (secretárias, datilógrafas, telefonistas, professoras de primeiro e segundo graus, enfermeiras e empregadas domésticas, por exemplo).

Já no caso do negro, a discriminação sofrida no mercado de trabalho tem como conseqüência (mesmo mantendo outras características individuais iguais) o sistemático confinamento dessa parcela da força de trabalho aos empregos que requerem menor qualificação e são pior remunerados.

Finalmente, sexismo e racismo têm como conseqüência que mulheres e negros obtenham retornos a seus investimentos educacionais, em termos de remuneração, proporcionalmente menores do que os dos homens brancos.

Começando com a observação da evolução educacional de mulheres e negros, são apresentadas a seguir as taxas de analfabetismo por cor e sexo em 1950 e 1980:

	Homens		Mulheres	
	1950	1980	1950	1980
Brancos	43,8	24,3	50,8	25,6
Pardos	70,3	48,2	76,1	47,8
Pretos	73,5	46,7	79,4	48,6

Obs.: Para 1980, usou-se como indicador de analfabetismo a proporção de pessoas sem instrução e com menos de um ano de instrução, já que não se conta com as taxas de analfabetismo por cor. Para o total da população de cinco anos e mais, a utilização deste *proxy* sobreestima a taxa de analfabetismo em aproximadamente 3,5%.

Com a única exceção dos homens brancos, todos os outros grupos de sexo e cor obtêm uma diminuição nas taxas de analfabetismo superiores a 20%. São as mulheres das três categorais de cor que conseguem diminuir mais rapidamente as taxas de analfabetismo, sendo que em 1980 praticamente já tinham eliminado as diferenças no analfabetismo com relação aos homens da mesma ccr, existentes em 1950. Note-se porém que ainda em 1980 as taxas de analfabetismo de homens e mulheres de cor são quase duas vezes maiores que as do grupo branco.

As diferenças inter-raciais nas oportunidades de acesso aos níveis de ensino mais elevado, que eram imensas em 1950, persistem de maneira acentuada em 1980. Os dados disponíveis para 1950 referem-se aos níveis de cursos completados pelas pessoas de 10 anos e mais, enquanto os de 1980 reportam à distribuição educacional por faixas de anos de estudo completados. Apesar deles não serem rigorosamente comparáveis, a transcrição dos mesmos ajuda a visualizar os progressos educacionais experimentados pelos diferentes grupos de cor.

Refletindo a capacidade diferencial de demanda educacional de diferentes grupos sócio-econômicos, estes dados indicam, ainda que indiretamente, o caráter perverso da expansão educacional no Brasil: os componentes do sistema educacional crescem a um ritmo inversamente proporcional aos níveis educacionais considerados, resultando em progressos muito lentos nos níveis elementores de ensino. Quanto

CURSOS COMPLETADOS PELAS PESSOAS DE 10 ANOS OU MAIS,
POR COR, SEGUNDO O GRAU DE ENSINO, 1950 (0/000)

Grau completado	Brancos	Pardos	Pretos
Grau superior	67	4	1
Grau médio	410	44	16
Grau elementar	1.998	582	553
Sem grau completo	7.525	9.370	9.430
	10.000	10.000	10.000

ANOS DE ESTUDO COMPLETADOS PELAS PESSOAS DE 5 ANOS
OU MAIS SEGUNDO A COR, 1980 (0/000)

Anos de estudo	Brancos	Pardos	Pretos
12 anos ou mais	493	87	46
9 a 11 anos	917	375	266
5 a 8 anos	1.649	1.012	953
até 4 anos	6.941	8.525	8.735
	10.000	10.000	10.000

aos diferenciais inter-raciais na esfera educacional, nota-se que em 1950 as possibilidades de completar o ensino médio (ginásio ou colegial) e superior estavam virtualmente monopolizadas pelo grupo branco. A partir de uma situação inicial de escolaridade muito baixa, pardos e pretos têm se beneficiado em alguma medida da expansão educacional brasileira. Entretanto, as desigualdades inter-raciais de oportunidades educacionais continuam sendo muito acentuadas e aumentam à medida que se considera o acesso aos níveis mais elevados de ensino. Assim, em 1980, os brancos tinham 1,6 vezes mais chances que os pretos e pardos de completarem entre 5 e 8 anos de estudo; 2,5 vezes mais oportunidades de completarem entre 9 e 11 anos de estudo e 6 vezes mais chances de completarem 12 anos ou mais de estudo. Análises comparativas de mobilidade social de brancos e não-brancos sugerem que estas desigualdades de oportunidades educacionais não irão desaparecer no futuro imediato, na medida em que, controlando por origem social, pretos e pardos obtêm sistematicamente menos anos de instrução que os brancos. [21]

As disparidades educacionais entre os sexos evoluem de uma maneira bastante diferente, havendo uma tendência clara no sentido das mulheres estarem se aproximando de uma situação de igualdade

52

educacional com os homens. Este processo está claramente relacionado à desigual distribuição de mulheres e negros na estrutura de classes e estratificação social e, possivelmente, a uma maior flexibilidade na redefinição, no plano político e cultural, dos papéis sociais das mulheres.

Tanto em 1960 como em 1970, a estrutura educacional de homens e mulheres era muito semelhante, com a clara exceção do acesso ao ensino superior. Entre as pessoas de 10 anos e mais em 1960, havia 1,02% de homens e 0,17% de mulheres com curso superior completo; em 1970, a diferença entre essas mesmas proporções diminui para 1,24% e 0,42%. Com relação ao número de estudantes universitários, em 1970 havia 349.000 homens para 258.000 mulheres, sendo que em 1980 o número de universitários era de 689.000 homens e 663.000 mulheres. Tais cifras indicam que, nas coortes de idades mais jovens, as mulheres estão atingindo a igualdade de acesso ao ensino superior. Estas tendências quantitativas não devem levar a esquecer a existência de padrões diferentes de opção por cursos universitários entre homens e mulheres que, por sua vez, condicionam o acesso a ocupações sexualmente tipificadas.

O próximo passo consiste no exame do impacto das transformações econômicas ocorridas nas duas últimas décadas sobre as oportunidades de emprego das mulheres. Já foi constatado como as taxas de atividade econômica das mulheres aumentaram consideravelmente entre 1960 e 1980, particularmente na década de 1970. Mesmo levando em conta a subenumeração das mulheres economicamente ativas na agricultura nos Censos Demográficos, deve ser notado que em 1960 a PEA feminina representava apenas 16,5% do total de mulheres de 10 anos e mais de idade e que esta proporção aumenta para 18,5% em 1970 e para 26,9% em 1980. Na década de 1960 o aumento da PEA feminina dá conta de 30,7% do aumento da PEA total e na década seguinte as mulheres contribuem com 41,2% do aumento da PEA total.

Resta então verificar quais são as posições econômicas ocupadas por este contingente de mulheres que se incorpora à força de trabalho. A tabela 3.1 apresenta a estrutura setorial do emprego das mulheres economicamente ativas entre 1960 e 1980.

A primeira constatação é de que a redistribuição das mulheres entre os diversos setores de atividade acompanha de perto as transformações da estrutura global do emprego. Uma das mudanças mais significativas reside na rápida diminuição da participação relativa das mulheres no setor primário, que decresce de 30,1% em 1960 para 14,8% em 1980. Nas atividades industriais, onde houve uma queda

Tabela 3.1

SETOR DE ATIVIDADE DAS MULHERES ECONOMICAMENTE ATIVAS DE 10 ANOS E MAIS: 1960-1970-1980

	1960		1970		1980	
	N	%	N	%	N	%
Agropecuária, extração vegetal, pesca	1.228.340	30,1	1.257.659	20,4	1.732.961	14,8
Atividades industriais	493.986	12,1	635.892	10,3	1.789.025	15,2
Comércio de mercadorias	170.831	4,2	370.387	6,0	1.169.721	10,0
Prestação de serviços	1.479.457	36,3	2.389.508	38,8	3.975.940	33,8
Transportes e comunicações	41.805	1,0	61.735	1,0	144.710	1,2
Atividades sociais	424.055	10,4	987.689	16,0	2.157.911	18,4
Administração pública	80.550	2,0	160.194	2,6	382.094	3,2
Outras atividades	157.837	3,9	302.383	4,9	394.489	3,4
Total	4.076.861	100,0	6.165.447	100,0	11.746.851	100,0

FONTE: FIBGE, *Tabulações Avançadas do Censo Demográfico*, 1980, v. 1, t. 2.

Obs.: O total de mulheres na PEA em 1980 exclui 292.079 que estavam procurando trabalho.

da participação relativa das mulheres na década de 1960 (de 12,1% para 10,3%), nota-se o fenômeno contrário da década seguinte; a participação relativa da mulher aumenta 4,9% e em termos absolutos o número de mulheres ocupadas na indústria quase que triplica entre 1970 e 1980. Esta retomada do emprego na indústria está relacionada à reativação do emprego nas indústrias tradicionais (por exemplo, o número de mulheres nas ocupações da indústria do vestuário cresce de 422.000 para 857.000), ao aumento do número de mulheres ocupando funções burocráticas e administrativas e a um pequeno aumento do emprego feminino em algumas indústrias modernas, como a eletrônica.

O setor terciário constitui a principal fonte de emprego das mulheres, absorvendo 57,8% delas em 1960, 69,3% em 1970 e 70% em 1980. Dentro do próprio terciário processam-se modificações importantes na estrutura do emprego feminino. Na prestação de serviços, o setor que mais absorve mulheres, observa-se um ligeiro aumento na participação relativa na década de 1960 (de 36,3% para 38,8%) e uma queda para 33,8% em 1980. Nos serviços da produção, a participação feminina aumenta rapidamente, em particular no comércio de mercadorias, onde cresce de 4,2% em 1960 para 10% em 1980. Igualmente rápido é o crescimento da participação relativa da mulher nos serviços de consumo coletivo, com destaque para as atividades sociais, onde essa participação aumenta de 10,4% em 1960 para 18,4% em 1980.

Quanto à inserção da mulher na estrutura ocupacional, apesar de ainda existir um grau elevado de segregação ocupacional vertical e horizontal, a crescente divisão técnica do trabalho, através da geração de novas posições ocupacionais, levou a uma melhor distribuição da força de trabalho feminina na estrutura ocupacional e a uma diminuição da concentração de mulheres em grupos específicos de ocupações. Basta assinalar aqui algumas tendências nesse sentido. A participação relativa da PEA feminina nas ocupações administrativas aumenta de 8,2% em 1960 para 15,4% em 1980. Cabe destacar que este aumento, tanto em termos relativos como absolutos, ocorre principalmente em posições subordinadas, isto é, nas funções burocráticas e de escritório. Dentro das ocupações técnicas e científicas diminui em 10%, dentro do período considerado, a proporção de mulheres em duas ocupações sexualmente tipificadas, a saber, professoras de primeiro e segundo graus e enfermeiras. Em contrapartida, o número de mulheres em profissões de prestígio mais elevado (engenheiras, arquitetas, médicas, dentistas, economistas, professoras universitárias e advogadas) aumenta de 19.000 em 1970 para 95.800 em 1980. Da mesma forma, diminui a proporção de mulheres ocupadas na indústria têxtil e do vestuário entre aquelas ocupadas na indústria e a proporção de empregadas domésticas entre as mulheres ocupadas na prestação de serviços.

Em definitivo, as mulheres não só tendem a conseguir uma melhor distribuição na estrutura ocupacional, como também abandonam os setores de atividades que absorvem a força de trabalho menos qualificada e pior remunerada, para ingressar em proporções crescentes na indústria e nos serviços modernos.

As tendências observadas permitem sugerir, de maneira provisória, a possibilidade de uma diferenciação dos mercados de trabalho para as mulheres: enquanto as mulheres oriundas das classes populares, com baixos níveis de escolaridade, tendem a concentrar-se na prestação de serviços e nos empregos ligados à produção na indústria, as mulheres de classe média, dotadas de níveis mais elevados de educação formal, dirigem-se para os serviços da produção e de consumo coletivo. [22]

Esta melhoria relativa das oportunidades de emprego e grande aumento da taxa de participação econômica das mulheres pode ser interpretada como decorrente da rápida abertura de posições na estrutura ocupacional e da modernização da economia brasileira. Tal interpretação, que acentua o lado positivo das transformações havidas, pode ser complementada por uma outra, menos otimista. É bem possível que, devido ao processo de concentração da renda e a conseqüente deterioração dos salários dos chefes de famílias de baixa renda, parte da incorporação das mulheres ao mercado de trabalho obedeça à necessidade imperiosa de complementar os orçamentos familiares.

Como já foi assinalado, é praticamente impossível aferir a evolução das oportunidades de emprego da população negra devido à ausência de dados comparáveis em mais de um corte temporal. Neste sentido, as possíveis tendências são mais objeto de conjetura do que de constatação. A Pesquisa Nacional por Amostra de Domicílios de 1976 oferece algumas indicações sobre as desigualdades setoriais de emprego entre brancos e negros. A constatação mais importante tem a ver com a concentração desproporcional de pretos e pardos nos setores agrícola, indústria de construção e prestação de serviços, que incluem as ocupações menos qualificadas e pior remuneradas. Esses três setores absorviam 68% dos pretos e pardos e 52% dos brancos economicamente ativos.

Às formas específicas de discriminação no mercado de trabalho sofrida pelos negros, deve ser acrescentado que o acesso limitado deste setor da população à educação formal, especialmente aos níveis mais elevados de ensino, deve ter funcionado como um elemento que limitou seriamente a mobilidade para as posições mais altas da hierarquia ocupacional. [23] Em adição às discriminações sofridas pelo negro deve-se considerar o fato de que persiste até hoje uma acentuada desigualdade na distribuição geográfica de brancos e negros, com estes últimos concentrados desproporcionalmente nas regiões menos desenvolvidas do país, tendo assim mais limitadas suas oportunidades educacionais e econômicas. Por último, sabendo-se da concentração desproporcional da população negra na agricultura e nos estratos ocupacionais urbanos mais baixos, não é difícil suspeitar que essa população ficou mais do lado das vítimas do que o dos filhos do "milagre" brasileiro.

Devido à inexistência de dados publicados sobre cor e renda em mais de um corte temporal e as dificuldades técnicas para acompanhar os diferenciais de renda por sexo, vamos nos limitar a apresentar a distribuição de rendimentos por grupos de sexo e cor em 1980. A informação pertinente encontra-se na tabela 3.2. Ela indica que a proporção de pessoas com rendimentos de até 3 salários mínimos era de 65,9% para os homens brancos, 81,9% para as mulheres brancas, 86,8% para os homens negros e 95,2% para as mulheres negras. No extremo oposto da distribuição ocorre o fenômeno inverso, de forma a dar lugar a uma clara ordenação dos quatro grupos, que vai desde o perfil de distribuição mais privilegiado até o mais desfavorecido: homens brancos, mulheres brancas, homens negros e mulheres negras. Levando-se em conta a diferente posição de mulheres brancas e homens negros como provedores da família e os magros rendimentos com que a mulher negra contribui para a família, é possível concluir que existem fortes disparidades inter-raciais na distribuição familiar de rendimentos. Para dar uma idéia final da concentração da renda apoiada em critérios adscritos de hierarquização social, basta assinalar que os homens brancos, que representam 39% das pessoas com rendimentos, constituem 79% daqueles que auferem rendimentos superiores a 10 salários mínimos.

Em termos de iniqüidades sócio-econômicas, estes são os resultados alcançados por uma sociedade que, proclamando a igualdade formal de direitos e definindo-se a si mesma como uma "democracia racial", adotou a via conservadora de modernização.

TABELA 3.2
RENDIMENTO MÉDIO MENSAL DAS PESSOAS DE 10 ANOS E MAIS, POR GRUPOS DE SEXO E COR — 1980

Salários mínimos	Homens brancos N	%	Mulheres brancas N	%	Homens negros N	%	Mulheres negras N	%
Até 1	4.296.339	23,4	3.731.759	43,0	6.194.717	44,4	3.966.714	68,5
Mais de 1 a 3	7.809.270	42,5	3.370.693	38,9	5.908.394	42,4	1.543.066	26,7
Mais de 3 a 5	2.673.864	14,6	828.884	9,5	1.109.291	8,0	177.239	3,1
Mais de 5 a 10	2.026.830	11,0	535.607	6,2	530.344	3,8	81.199	1,4
Mais de 10	1.562.760	8,5	207.049	2,4	193.768	1,4	16.705	0,3
Total	18.368.760	100,0	8.673.992	100,0	13.936.514	100,0	5.784.923	100,0

FONTE: FIBGE, *Censo Demográfico de 1980.*

Obs.: A categoria negro engloba pretos e pardos.

Sumário e conclusões

As duas últimas décadas marcam a consolidação da sociedade capitalista no Brasil. Nesse período, as altas taxas de crescimento da economia e a acelerada urbanização estiveram associadas à expansão do produto industrial, contrariando certas perspectivas pessimistas sobre a baixa capacidade do secundário de absorver novos e crescentes contingentes de mão-de-obra nos países do capitalismo periférico. O setor industrial moderno em particular mostrou um inesperado dinamismo na geração de novos empregos.

As mudanças na composição da força de trabalho seguiram duas grandes linhas de desenvolvimento. Em primeiro lugar, observou-se uma rápida expansão das relações capitalistas de trabalho, indicada pela proporção global de assalariados. Essa proporção cresceu rapidamente no período considerado, empurrada em larga medida pelo rápido crescimento industrial e pela urbanização da estrutura ocupacional, com um rápido declínio relativo do emprego no setor primário, tradicional reduto de trabalhadores por conta própria e sem remuneração.

Em segundo lugar, como conseqüência da ampliação das funções do Estado, do processo de concentração do capital, com o fortalecimento das grandes empresas privadas e estatais, observou-se entre as ocupações administrativas um crescimento muito rápido do grupo de administradores não-proprietários, cuja participação proporcional no período quase que triplica. Da mesma forma, ocupações burocráticas de rotina e ocupações técnicas e científicas também ampliaram rapimente sua participação, mais que duplicando seu número relativo ao longo das duas décadas.

Assim, em termos das conseqüências dessas mudanças para a estrutura de classes, observamos a tendência à incorporação de produtores simples de mercadorias e demais trabalhadores por conta própria no âmbito do trabalho assalariado como processo básico do desenvolvimento dessa estrutura de classes. A ela podemos acrescentar, coerente com a burocratização do trabalho, a geração de uma camada crescentemente diferenciada de administradores e burocratas interpostos entre os que detêm ou controlam o capital e os trabalhadores diretamente ligados à produção.

A mudança acelerada em direção a uma estrutura de classes mais complexa teve necessariamente que redundar em extrema mobilidade social. De fato, a mobilidade ocupacional induzida pelas mudanças na estrutura do emprego (bem como por mudanças de ordem demográfica) atinge níveis muito elevados no Brasil. Uma comparação com outras sociedades modernas, ainda que grosseira, nos faz acreditar que a experiência brasileira recente é uma das mais radicais já observadas em qualquer sociedade.

Uma das características mais importantes das mudanças na força de trabalho nas últimas décadas é a entrada em massa das mulheres, fazendo com que a PEA feminina amplie sua proporção na PEA total de 17,9% em 1960 para 27,5% em 1980. Apesar da manutenção de um padrão de segregação ocupacional baseado no sexo, as mulheres melhoraram sua distribuição na estrutura ocupacional, diminuíram a sua participação nos setores de atividade com força de trabalho menos qualificada, ingressando crescentemente nos setores modernos das indústrias e serviços.

No entanto, um processo perverso de concentração da renda, a provisão inadequada de bens e serviços de consumo coletivo por parte do Estado e a persistência de profundas diferenças sócio-econômicas entre brancos e negros representam o outro lado da moeda da recente experiência brasileira. O modelo de modernização conservadora adotado, se por um lado modificou profundamente a estrutura de classes, por outro lado deu lugar a uma sociedade marcada por níveis extremamente pronunciados de desigualdade. Muito já se disse sobre os elevados custos sociais e humanos dessa modernização e a crise com que ora nos defrontamos desgraçadamente faz crer que essas avaliações poderiam ter sido ainda mais negativas.

2

Os deserdados do milagre*

> "Existe um nível de pobreza a partir do qual somos atingidos por uma espécie de indiferença que faz com que todas as coisas pareçam irreais: aqueles mais perto de nós se tornam meras sombras, pouco distinguíveis do fundo escuro de nossa vida quotidiana, e são facilmente perdidos de vista."
>
> Victor Hugo, *Os Miseráveis*

A ilusão do crescimento

A CRISE QUE SE INSTALA no início dos anos 80 marca para a maioria dos países latino-americanos o fim de um ciclo de rápido crescimento econômico baseado em condições comerciais muito favoráveis e no fácil endividamento externo. De fato, durante o período 1950-1980 a América Latina experimenta taxas médias de crescimento superiores a 5% ao ano, mais que quadruplicando o Produto Interno Bruto destes países. Comparado com o que ocorreu em outras regiões do mundo trata-se, sem dúvida, de um desempenho admirável. Mas a crise que ora enfrentamos marca também o fim de uma ilusão: a de que o crescimento econômico por si só seria capaz de erradicar a pobreza e os altos níveis de injustiça social que têm historicamente caracterizado os países da América Latina. Na verdade, estudos recentes [1] indicam que de uma população latino-americana total de cerca de 264 milhões de pessoas em 1970, nada menos de 115 milhões (isto é, 44%) poderiam ser consideradas pobres, ou seja, não usufruíam rendimentos necessários para adquirir no mercado uma cesta de bens e serviços considerados essenciais. Além disso, desta população pobre, mais de 40% não tinham renda suficiente para sequer cobrir suas necessidades mínimas de alimentação, colocando-os no que se pode chamar de faixa de indigência. [2]

---

* Este trabalho é de autoria de Nelson do Valle Silva, tendo sido elaborado para o projeto "Brasil-2000: 2.ª Etapa", sob a coordenação do Prof. Hélio Jaguaribe.

A maioria dos países do continente, aí estando incluído o Brasil, seguiu uma via de modernização conservadora, orientando o crescimento de sua estrutura produtiva para a satisfação das necessidades dos grupos de renda mais elevada, detentores de uma fração extremamente elevada da riqueza naqueles países. Os benefícios que eventualmente chegassem às camadas populares o fariam de forma indireta, descendo por percolação do alto da hierarquia social. O agravamento da desigualdade social, inevitável corolário deste estilo de desenvolvimento, não era considerado um sinal de degradação do bem-estar social enquanto os setores modernos da economia se expandissem com suficiente rapidez. Pelo contrário, considerava-se imprescindível o crescimento prévio do produto para depois então se proceder à sua redistribuição: o crescimento acelerado seria o grande democratizador das oportunidades. Com propriedade pode-se qualificar o estilo de crescimento adotado como excludente e concentrador. Excludente por deixar à margem dos benefícios diretos do desenvolvimento largas parcelas da população, quando muito aproveitando-se dos sobejos do núcleo modernizante e permanecendo em situação de pobreza ou mesmo, da mais estrita miséria. Concentrador por só a alguns aproveitar, justamente aqueles que conseguiam se integrar ao setor moderno da economia. É este desenvolvimento excludente e concentrador que entra em crise no início da presente década, asfixiado sobretudo pelo serviço da dívida externa, que atualmente chega a absorver de 40 a 50% em média do valor das exportações dos países latino-americanos.

O desempenho econômico do Brasil foi em muitos aspectos nitidamente superior ao dos demais países do continente. Na verdade, nosso país foi por muito tempo considerado como o mais claro exemplo de sucesso na via conservadora de modernização. O Produto Interno Bruto brasileiro que já vinha crescendo a uma taxa histórica de cerca de 6 a 7% ao ano, tem seu ritmo de expansão acelerado para valores na ordem de dois dígitos no período que segue a pequena depressão de 1962-1966, chegando a uma média de 11,2% durante o período 1967 a 1973. Este é o período conhecido como o do "milagre" brasileiro. A partir desta última data começa a arrefecer o ritmo de crescimento do PIB, com o valor máximo de 14% em 1973, caindo para 9,8% em 1974 e 5,6% em 1975. Mas, ainda assim, o crescimento pós-73 (início da retração mundial que se seguiu ao primeiro choque do petróleo) ainda foi muito substancial, compatível com as taxas históricas de crescimento, situando-se no nível de 7,1% ao ano entre 1973 a 1980. Considerando-se o produto *per capita*, o desempenho brasileiro é ainda mais marcante, ajudado que foi pela redução no ritmo de crescimento populacional, oriundo de uma sustentada queda nas taxas de fecundidade que se verifica a partir de meados da década de 1960. Em 1980 o produto interno *per capita* atingia um nível 3,5 vezes superior àquele observado três décadas antes. No entanto, com o início da crise, o produto *per capita* cai sistematicamente atingindo em 1983 o mesmo nível que se tinha observado em 1978 (v. a figura 1).

O acelerado crescimento da economia brasileira baseou-se na consolidação e expansão forte do setor industrial, comandado particularmente pela produção de bens duráveis de consumo (por exemplo, automóveis e eletrodomésticos), orientados para os consumidores nas faixas mais altas de rendimentos. Assim as taxas de crescimento do Produto Industrial, que haviam sido de apenas 2,6% no período recessivo 1962 a 1967, ultrapassam o ritmo de crescimento do PIB atingindo ao nível médio anual de 12,7% no período 1967-1973 e 7,6% para 1973-1980, tendo atingido em 1973 o pico de crescimento na ordem de 15,8%. [3] Ao todo, estima-se que apenas na década passada o PIB tenha crescido em termos reais algo como 127%, o produto *per capita* na ordem de 79% reais enquanto que o produto industrial apresentou um crescimento de não menos que 145%. [4]

Com taxas de crescimento nestes níveis seriam necessários processos redistributivos de extrema perversidade para que a situação das classes menos favorecidas não apresentasse melhorias. De fato, fazendo-se um balanço das últimas décadas verificamos que, apesar de apoiado em altos custos sociais — entre os quais uma tendência à concentração na distribuição de rendimentos individuais — o saldo parece ser positivo em alguns aspectos. Por exemplo, R. Hoffman aplicou o esquema proposto por A. Sen [5] para examinar a evolução da pobreza no Brasil à luz dos resultados dos recenseamentos de 1970 e 1980. Após a determinação de uma "linha de pobreza" — ou seja, nível de renda abaixo do qual uma família deve ser classificada como pobre [6] — definida por Hoffman como a renda familiar equivalente nas duas datas ao nível de um salário mínimo em agosto/80, a primeira relação proposta por Sen para medir a pobreza agregada é a proporção de pobres na população total, notada pelo símbolo H. Empiricamente, H é a proporção de *famílias* definidas como pobres sobre o total de famílias. É portanto uma medida intuitiva de pobreza, nos indicando sua incidência geral numa população dada. Um segundo indicador de pobreza mede o quão agregadamente estão estas famílias distantes da linha de pobreza. Cada família pobre pode ser

63

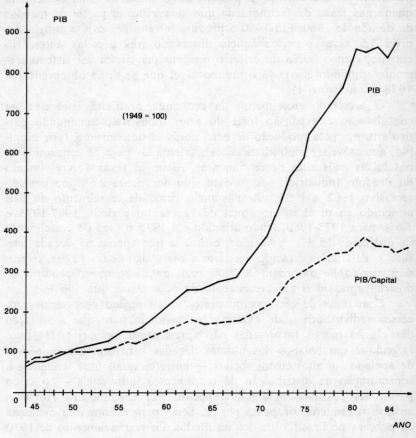

Figura 1

representada pela diferença de seus rendimentos em relação à linha de pobreza, ou seja, por seu "hiato de renda". Agregando-se todos os hiatos de renda destas famílias pobres e expressando em termos médios como uma percentagem da linha de pobreza, obtém-se a medida I, o "hiato de pobreza". I varia de zero, implicando que nenhuma família pobre tem renda abaixo da linha de pobreza (sendo estas rendas, portanto, todas idênticas à própria linha de pobreza), a um máximo de um, indicativo do caso em que todos os pobres têm renda nula. Finalmente, Sen propõe uma última medida caracterizadora de pobreza, a desigualdade de renda entre os pobres, medida através do conhecido coeficiente de Gini (G), apenas agora restrito às famílias pobres. Hoffman calculou as três medidas H, I e G para os anos 1970 e 1980 tanto para o Brasil como um todo, quanto para as cinco principais macro-regiões do país. Os resultados obtidos por Hoffman estão apresentados no quadro abaixo:

QUADRO 1

POBREZA FAMILIAR NO BRASIL: 1970-1980

Região	Índices de Sen						Medida de Pobreza K de Kakwani	
	H		I		G			
	1970	1980	1970	1980	1970	1980	1970	1980
Norte	0,453	0,218	0,373	0,422	0,239	0,302	0,209	0,120
Nordeste	0,682	0,439	0,510	0,431	0,311	0,284	0,420	0,243
Sudeste	0,271	0,115	0,451	0,408	0,315	0,279	0,161	0,060
Sul	0,359	0,161	0,403	0,403	0,266	0,260	0,183	0,082
Centro-Oeste	0,462	0,202	0,404	0,406	0,254	0,275	0,234	0,105
Brasil	0,422	0,219	0,466	0,420	0,302	0,283	0,256	0,118

Nota: Para definição da linha de pobreza utilizou-se o equivalente em 1970 e 1980 a um salário mínimo de agosto/80. As famílias foram classificadas de acordo com sua renda familiar total mensal.

FONTE: Hoffman (1984).

O fato notável do quadro 1 é que, excetuado o hiato de renda (I) e o coeficiente de desigualdade entre os pobres (G) para a região Norte — área essencialmente de fronteira, em rápida expansão durante a última década — todos os demais indicadores de pobreza se reduziram entre 1970 e 1980. Em particular, a proporção de pessoas pobres segundo a definição de Hoffman caiu em quase a metade para o Brasil como um todo, sendo que a redução não foi ainda mais substancial devido ao fraco desempenho da região Nordeste, que mesmo assim teve reduzida em cerca de 36% sua incidência de pobreza. Nas demais regiões o declínio foi quase uniforme, com reduções variando entre 52% na região Norte a cerca de 58% na região Sudeste. Dado que os demais indicadores de pobreza também caíram durante o período, não é de espantar que uma medida agregada de pobreza,

65

que leve em conta estes indicadores, também apresente indicações inequívocas de melhoria. As duas últimas colunas do quadro 1 nos mostram os resultados do cálculo da medida de pobreza K proposta por N. Kakwani. [7] De acordo com esta medida, as reduções mais substanciadas da pobreza — dado o caráter multiplicativo dos componentes H, I e G do índice — se deram nas regiões Sudeste e Sul, onde sabemos se concentrou o núcleo do desenvolvimento brasileiro nas últimas décadas. Conclusões semelhantes no que diz respeito à redução da pobreza entre 1970 e 1980 também foram obtidas por J. Pastore e colaboradores: concentrando a atenção em famílias em situação de *extrema pobreza,* aquelas que sobrevivem com um nível de rendimentos familiares *per capita* de no máximo 1/4 de salário (que, *grosso modo,* também corresponde à definição utilizada por Hoffman, uma vez que o tamanho médio das famílias brasileiras variou entre 4,8 e 4,4 durante aquele período), estes autores concluem "as tabulações dos dados do Censo de 1980 mostraram sensível queda na porcentagem de famílias em situação de extrema pobreza ... tal porcentagem caiu de 44% em 1970 para 18% em 1980". [8]

As melhorias nos indicadores de pobreza entre 1970 e 1980 são também confirmadas por outros indicadores de qualidade de vida. A figura 2 nos apresenta o que se denomina a Taxa de Redução da Disparidade (TRD) em um conjunto de indicadores sociais selecionados para 24 países latino-americanos e do Caribe entre 1970 e 1978, o que nos ajuda também a ter uma avaliação comparativa do desempenho brasileiro. A TRD pretende medir a velocidade com que um país elimina a disparidade entre o nível de progresso de um indicador social determinado e o melhor desempenho esperado para este mesmo indicador em qualquer parte do mundo por volta do ano 2000. [9] As TRD's na figura 2 representam o desempenho relativo dos países citados no que diz respeito à mortalidade infantil, a esperança de vida, a alfabetização e ao Índice de Qualidade Material de Vida (IQMV). Este índice combina os três outros indicadores numa escala única, variando de zero a 100, com igual ponderação para cada um dos indicadores mensurados com idêntica variação. [10] Busca-se portanto refletir de forma sintética o comportamento recente dos países em dimensões importantes da qualidade de vida conquistada por suas populações, tais como a nutrição, a saúde, o saneamento ambiental e a educação.

O que choca, no entanto, quando examinamos a figura 2 é a relativa modéstia do feito brasileiro, sobretudo quando se tem em mente o desempenho de nossa economia neste mesmo paríodo. Mesmo considerando que o Brasil apresenta taxas de redução positivas em todas as três dimensões — coisa que não ocorre em alguns países, como é o caso do desempenho negativo da Colômbia quanto à mortalidade infantil ou do Uruguai no que diz respeito à alfabetização — estas taxas oscilam entre apenas 1,2 e 2,4. A *performance* brasileira é, de fato, diminuta quando comparado com países sob regimes políticos e estilos de desenvolvimento tão distintos quanto Cuba, Costa Rica, o Chile e a Jamaica.

Assim, há um flagrante descompasso entre os modestos ganhos de bem-estar conquistados pelo povo brasileiro e o rápido crescimento experimentado pela economia de nosso país durante a década de 1970. A corrida desabalada do desenvolvimento resultou em bem magro prêmio. Mesmo considerando o ponto estrito da redução da *extrema pobreza*, como nos mostram tanto Hoffman quanto Pastore e seus colaboradores, o saldo embora positivo é ainda de uma pobreza residual bastante substancial. Mais importante, o foco crítico da destituição brasileira, o nosso tão castigado Nordeste, ficou largamente à margem dos benefícios indiretos do crescimento durante o "milagre" econômico dos anos 70. Na verdade, o dualismo da sociedade brasileira só se agravou. Ao fim da década, seja a percentagem de indigentes 22% ou 18%, o fato é que trata-se de bem mais de 20 milhões de brasileiros vegetando nas condições de mais absoluta miséria. É para com estes deserdados do "milagre" que as prioridades das políticas econômicas e sociais têm que se voltar.

No entanto, a erradicação da pobreza e da miséria em nosso país claramente não pode mais resultar do mesmo modelo de crescimento excludente e concentrador do passado. Mesmo que a experiência tivesse mostrado que esta via conservadora de modernização é a mais eficiente — e vimos que ela na verdade resultou em bem escassos frutos para a massa dos trabalhadores brasileiros — esta via está hoje virtualmente bloqueada pelo asfixiante endividamento externo, que crescentemente exaure a capacidade de investir em nosso desenvolvimento. A dívida fácil do passado de fato representou a hipoteca de nosso futuro. Assim, o resgate da imensa dívida social junto a milhões de pessoas, réus da mais iníqua situação de injustiça social, através da promoção eqüitativa do desenvolvimento econômico e do bem-estar é tarefa que deve ser considerada como objetivo explícito e direto de uma decisão política afirmativa. Mas esta decisão política não pode ter o cunho centralizador e tecnocrático do passado: é essencial o apoio social organizado e firme, pois como lembra Wanderley G. dos Santos, "sem efetivo comprometimento dos poderes públicos as pressões sociais tendem a produzir reverberações políticas de natureza conflitiva, com escassa repercussão no ordenamento racional da economia e na redução de desequilíbrios existentes. Sem apropriado suporte social organizado o empenho governamental tende a ser esterelizado pela resistência inercial do *status quo*. Na ausência de ambos, o futuro mais provável, em um cenário que desconte surpresas, é a perpetuação do presente, ocorrendo variações apenas na escala dos problemas". [11]

E que presente é este? A escolha de uma política social viável depende também crucialmente de um diagnóstico correto e atualizado da situação atual. Nesse sentido, as seções que se seguem tentarão apresentar um quadro que, embora seja conhecido em suas linhas gerais, [12] tem a originalidade de se basear na mais recente informação disponível: a Pesquisa Nacional por Amostragem de Domicílios, levada a cabo pela Fundação IBGE em novembro/85. Os dados da PNAD/85 nos permitem cobrir uma relação razoavelmente extensa de itens que caracterizam a satisfação ou não das necessidades materiais mais básicas da população. Esta corresponde à definição empírica mais usual da pobreza e, como tal, o quadro que passaremos a descrever está restrito a um elenco de medidas "objetivas" das condições de vida da população. No entanto, tem-se sugerido que uma definição mais abrangente e fina do sentido humano da destituição deveria incluir algumas outras necessidades igualmente básicas, embora de natureza mais subjetiva e não-material, tais como a qualidade de vida propriamente dita (que inclui a qualidade do meio-ambiente, a qualidade das condições de trabalho, o gasto de tempo em deslocamentos necessários à sobrevivência), a realização pessoal, a participação social, a segurança individual e a liberdade política. [13] Estas são, sem dúvida, dimensões importantes do conceito de pobreza e devem constar da agenda de qualquer programa de pesquisa que se proponha a aprofundar esta questão. Apenas, no caso do Brasil, como tentaremos demonstrar a seguir, o nível de destituição material é tão profundo e extenso que questões de ordem subjetiva — de difícil avaliação — necessariamente têm que ficar relegadas a um segundo plano. Dificilmente poderíamos imaginar que indivíduos sujeitos à fome e às carências materiais mais elementares possam usufruir de qualquer margem para auto-realização pessoal ou mesmo possam apreciar devidamente o sentido da liberdade política.

68

Figura 2 — América Latina e Caribe: taxa de redução de disparidade, TRD, 1970/78

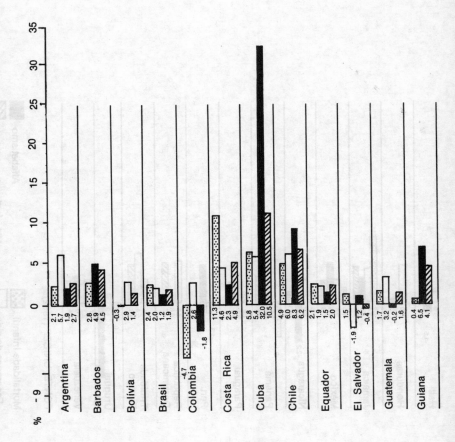

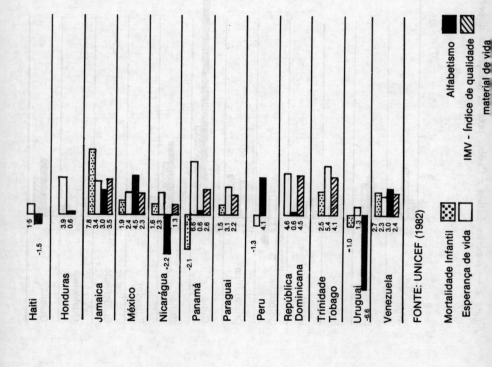

Haiti 1.5
-1.5

Honduras 3.9
0.6

Jamaica 7.8
3.4
3.0
3.5

México 1.9
2.4
4.5
2.3

Nicarágua -2.2 1.6
2.3
1.3

Panamá -2.1 6.6
0.6
2.6

Paraguai 1.5
3.1
2.2

Peru -1.3
4.1

República Dominicana 4.6
0.6
4.5

Trinidade Tobago 2.5
5.4
4.1

Uruguai -1.0
-6.6 1.3

Venezuela 2.7
2.3
3.0
2.4

FONTE: UNICEF (1982)

Mortalidade Infantil

Esperança de vida

Alfabetismo

IMV – Índice de qualidade material de vida

70

A pobreza e a miséria no Brasil, 1985

Uma definição simultaneamente plástica e incisiva do conceito de pobreza nos é dada por Abranches: "pobreza é destituição, marginalidade e desproteção. Destituição dos meios de sobrevivência física; marginalização no usufruto dos benefícios do progresso e no acesso às oportunidades de emprego e renda; desproteção por falta de amparo público adequado e inoperância dos direitos básicos de cidadania, que incluem garantias à subsistência e ao bem-estar". [14] Destes componentes, é o primeiro — destituição dos meios de sobrevivência física — que usualmente se toma como ponto de partida, como referencial empírico, tanto para a mensuração como para a caracterização da pobreza, [15] relacionando-o com os dois outros componentes. Trata-se, numa primeira instância, tomando-se em consideração apenas as necessidades materiais de sobrevivência, de se responder à questão: quem são os pobres?

Segundo Sen, são duas as alternativas metodológicas para identificar e enumerar a extensão da pobreza. A primeira alternativa é o *método direto,* consistindo este em classificar na faixa de pobreza todas as pessoas cujo nível de consumo de certos bens e serviços — aqueles considerados essenciais à sobrevivência — está abaixo de um certo mínimo; a segunda alternativa, o *método da renda,* consiste em se calcular o nível de renda associado à satisfação mínima das necessidades básicas, estabelecendo assim uma "linha de pobreza". Todo indivíduo (ou família, conforme o caso) com rendimento abaixo desta linha é considerado pobre. [16] O método direto apresenta algumas dificuldades associadas ao estabelecimento do que seria a cesta básica de bens e serviços, dadas as grandes variações individuais nos gastos e preferências de consumo, adicionando-se ainda a restrição de minimalidade para o custo total da referida cesta. Ou seja, encontramos indivíduos ou famílias cujo consumo de certos *itens* da cesta pode estar abaixo do nível mínimo e acima (eventualmente, bem acima) deste mínimo no que se refere a outros intens. Por vezes o subconsumo de algum item é deliberado, refletindo mais estilos de vida, preferências individuais, do que uma situação de pobreza propriamente dita. [17] Por estas razões, o método da renda é mais freqüentemente utilizado já que, como indica Sen, ele acomoda as variações nas preferências individuais sem violar a noção de pobreza como destituição: permite a identificação de quem *não tem capacidade* de satisfazer suas necessidades básicas dentro de padrões de consumo que podem variar entre comunidades ou mesmo, entre famílias e indivíduos. Por estas razões, e por outras de ordem prática — facilidade de obtenção de informações sobre rendimento, o fato da última pesquisa nacional sobre consumo (o ENDEF) já ter mais de 12 anos de idade, a comparabilidade com outras pesquisas — optou-se pelo método da renda para a definição da linha de pobreza que será utilizada no levantamento e caracterização das populações carentes no Brasil em 1985. [85]

Embora de uma forma geral baseados no método da renda, a quantificação da linha de pobreza tem variado muito nos estudos sobre a situação brasileira. Como já vimos, Hoffman localiza a linha de pobreza no nível de 1 salário mínimo de renda *familiar total* e Pastore e seus colaboradores utilizam a renda familiar *per capita,* localizando em 1/4 de salário mínimo *per capita* a linha de "extrema pobreza". Já·Santos utiliza a renda *individual* e definindo 3 cortes de pobreza: a população *miserável*, a parcela da População Economicamente Ocupada (PEO) que percebe até 1/2 salário mínimo; a população *indigente,* percebendo de 1/2 a 1 salário mínimo; e a população "pobre" *strictu sensu,* parcela da PEO que ganha entre 1 a 2 salários mínimos. De forma semelhante, Costa utiliza 3 níveis de pobreza a partir dos rendimentos individuais, definidos pelas linhas de 1, 2 e 3 salários mínimos. Também, como indica Calsing, os programas governamentais para populações de baixa renda usualmente colocam a linha de pobreza em 3 salários mínimos. [19]

Para identificação e delimitação da pobreza será utilizada aqui a renda familiar total como ponto de partida. Parece claro que a família é a unidade de análise mais relevante para o estudo da pobreza, uma vez que os níveis de bem-estar dos indivíduos estão mais fortemente associados ao nível de rendimentos das famílias a que pertencem do que aos de seus próprios rendimentos pessoais. No entanto, para refletir mais corretamente o nível de bem-estar material entre os membros da família há que se considerar o *tamanho* da família. Claramente, uma família de uma pessoa sozinha com renda total de 1 salário mínimo desfrutará de um nível de bem-estar bem superior ao de uma outra família com este nível de rendimento mas que seja composta por, digamos, 4 pessoas. Por mais desigual que seja o consumo *dentro* das famílias, a variação nos níveis de bem-estar tende a ser muito maior quando comparamos famílias de tamanhos diferentes. Para resumir, utilizou-se a variável "renda familiar *per capita*" para medir as diferenças no nível de bem-estar material entre as famílias. Optou-se também pela definição de 2 linhas indicativas de situações diferenciadas de pobreza: a linha de até 1/4 de salário

72

mínimo *per capita*, indicando as famílias em situação do que será denominado *"miséria"*; a linha de até 1/2 salário mínimo *per capita* (englobando portanto a população "miserável"), a qual será referida como população *"pobre"* no sentido mais amplo. [20]

Antes de se iniciar a discussão da situação brasileira em 1985, convém alertar para dois possíveis vieses na metodologia adotada. Em primeiro lugar, o fato das famílias pobres tenderem a um tamanho *maior* do que as famílias não-pobres (conforme veremos mais adiante) faz com que, ao não se considerar eventuais *economias de escala* do gasto em função do tamanho familiar, o nível de renda familiar *per capita* subestima os valores verdadeiros de bem-estar nas famílias pobres relativamente aos das famílias não-pobres. Em segundo lugar, se as necessidades de consumo variam em função da idade dos membros da família, as crianças consumindo *menos* do que os adultos, o fato das famílias pobres terem tipicamente uma parcela maior de crianças do que as famílias não-pobres, a utilização da renda familiar *per capita* na definição da linha de pobreza também implica numa subestimação adicional no nível de bem-estar das famílias pobres em relação às demais famílias. [21] Cabe ainda lembrar as notórias dificuldades na mensuração de rendimentos nas áreas rurais. A maior possibilidade de consumo direto das famílias rurais, particularmente no que diz respeito ao item alimentação, faz com que os níveis de rendimentos destas famílias sejam subestimados relativamente aos das famílias urbanas. Assim, ao todo, pode-se dizer que a metodologia adotada tende a subestimar os verdadeiros níveis de bem-estar das famílias pobres, e em especial das famílias pobres rurais, o que indica a conveniência de se dar preferência a definições mais restritas de pobreza, estratégia que tenderia a contrabalançar esta subestimação. Esta foi uma razão adicional na escolha dos níveis indicativos das situações de miséria e de pobreza adotados aqui.

A distribuição da renda familiar *per capita* segundo a PNAD/85 indica que cerca de 35% das famílias vivem em situação de pobreza, sendo que só na faixa que denominamos de miséria encontram-se quase 15% das famílias brasileiras. Em termos absolutos, estas percentagens implicam em dizer que mais de 11 milhões de famílias no Brasil vivem na pobreza, sendo que destas quase 4,7 milhões vivem na mais estrita miséria. A mediana da distribuição de renda familiar *per capita* é de apenas 0,8 salários mínimo. Olhando do ponto de vista das pessoas — isto é, dos indivíduos pertencentes a famílias pobres e miseráveis — a situação é ainda mais grave, dado o fato das famílias pobres serem normalmente mais numerosas do que as famílias não pobres: enquanto que estas últimas têm um tamanho médio de cerca de 3,7 pessoas, as famílias pobres atingem a um nível de 4,8 pessoas em média. Disto resulta, como pode ser visto no quadro 2 abaixo, que cerca de 41% das pessoas vivem em situação de pobreza, correspondendo a um total absoluto de mais de 53 milhões de pessoas. A mediana da distribuição de rendimentos familiares *per capita* cai para 0,7 salário minimo.

QUADRO 2

DISTRIBUIÇÃO DA RENDA FAMILIAR *PER CAPITA* — BRASIL, 1985

Renda familiar per capita (em salários mínimos)	Famílias (em mil)			Pessoas (em mil)		
	Número	%	% Ac.	Número	%	% Ac.
Até 1/4 s.m.*	4.692	14,7	14,7	24.444	18,7	18,7
De 1/4 a 1/2 s.m.	6.374	19,9	34,6	28.728	22,0	40,7
Dde 1/2 a s s.m.	7.860	24,6	59,2	31.844	24,4	65,1
De 1 a 2 s.m.	6.462	20,2	79,4	23.872	18,3	83,4
De 2 a 3 s.m.	2.471	7,7	87,1	8.469	6,5	89,9
De 3 a 5 s.m.	2.121	6,6	93,7	7.008	5,4	95,3
De 5 a 10 s.m.	1.404	4,4	98,1	4.477	3,4	98,7
De 10 a 20 s.m.	484	1,5	99,6	1.370	1,0	99,7
Mais de 20 s.m.	134	0,4	100,0	316	0,3	100,0
Sem Declaração	214	—	—	883	—	—
TOTAL	32.215	—	—	131.411	—	—

* Nota: Inclui famílias sem rendimentos; Fonte: FIBGE-PNAD/85: tabulações especiais.

O exame da incidência relativa da pobreza no Brasil de 1985 indica que este problema é, primordialmente, de natureza rural. Como mostra o quadro 3, a proporção de pobres é muito mais elevada nas áreas rurais do que nas áreas urbanas e metropolitanas. O valor típico das áreas rurais é aproximadamente o dobro das urbanas, em todas as regiões. Considerando-se a elevadíssima incidência de pobres, conforme definido, nestas áreas rurais, mesmo levando em conta que estes números possam estar superestimados (pelas razões discutidas antes), é claríssima a gravidade da pobreza rural.

QUADRO 3

INCIDÊNCIA RELATIVA DA MISÉRIA E DA POBREZA SOBRE A
POPULAÇÃO TOTAL DE FAMÍLIAS E PESSOAS — RENDA
FAMILIAR ATÉ 1/4 E ATÉ 1/2 SALÁRIO MÍNIMO *PER CAPITA*

Regiões	Famílias (% do Total)		Pessoas (% do Total)	
	Até 1/4 s.m.	Até 1/2 s.m.	Até 1/4 s.m.	Até 1/2 s.m.
1. Norte				
R. M. Belém	9,1	27,6	8,7	29,6
Urbano não-metrop.	10,8	31,1	12,4	35,7
2. Nordeste				
R. M. Recife	15,5	38,7	17,0	43,1
R. M. Fortaleza	14,1	39,0	16,0	43,4
R. M. Salvador	8,3	24,9	9,6	29,8
Urbano não-metrop.	24,4	54,7	27,9	59,1
Rural	46,2	78,6	55,0	84,4
3. Sudeste				
R. M. Rio de Janeiro	6,2	19,9	7,2	23,9
R. M. São Paulo	4,1	11,6	4,7	14,2
R. M. Belo Horizonte	8,0	24,5	9,8	28,7
Urbano não-metrop.	7,2	23,2	8,2	26,1
Rural	23,7	54,6	30,2	61,5
4. Sul				
R. M. Porto Alegre	3,4	12,1	3,8	14,1
R. M. Curitiba	5,0	19,4	6,3	23,2
Urbano não-metrop.	6,9	23,4	7,8	26,5
Rural	16,4	43,1	19,7	48,0
5. Centro-Oeste				
R. M. Brasília	7,0	21,9	8,1	25,3
Urbano não-metrop.	8,0	27,3	9,2	30,6
Rural	20,9	50,4	27,4	60,2
BRASIL	14,7	34,6	18,7	40,7

Tomando-se por base as pessoas pertencentes a famílias em situação de pobreza (isto é, com até 1/2 salário mínimo *per capita*), verifica-se que nas áreas rurais a proporção de pobres varia de um mínimo de 48,0% na região Sul a um valor tão elevado como 84,4% no Nordeste. Dificilmente qualquer subestimativa dos reais níveis de bem-estar destas famílias poderia falsificar a conclusão que o problema da pobreza no Brasil é acima de tudo associado às condições de vida no campo.

Em segundo lugar, fica claro também que a pobreza no Brasil tem um forte componente regional. A situação da região Nordeste é particularmente dramática, apresentando níveis de miséria e de pobreza significativamente mais elevados, qualquer que for o tipo de área — rural, urbana, metropolitana — do que as demais regiões do país. Novamente, a incidência da pobreza no Nordeste é aproximadamente o dobro daquelas verificadas para as demais regiões, sendo relativamente mais grave nas áreas *urbanas não-metropolitanas*. Neste caso, enquanto que a proporção de famílias pobres oscila entre 23 e 27% das famílias nas regiões Sudeste, Sul e Centro-Oeste, 31% na Região Norte, o valor correspondente para as áreas urbanas não-metropolitanas do Nordeste atinge a casa de quase 55% das famílias. A grande, mas relativa, exceção do quadro sombrio da pobreza nordestina é a Região Metropolitana de Salvador, que apresenta níveis de carência semelhantes aos das demais áreas metropolitanas. Infelizmente, mesmo em Salvador, a pobreza atinge a quase 30% das pessoas.

No que diz respeito às áreas urbanas, a observação que fica é que as áreas urbanas não-metropolitanas tendem a apresentar incidências de pobreza ligeiramente superiores as áreas metropolitanas, com a exceção (já referida) da região Nordeste. Assim, as menores incidências de pobreza são encontráveis nas regiões metropolitanas fora do Nordeste, particularmente em Porto Alegre e São Paulo, ambas com uma proporção de famílias pobres em torno de 12%.

A questão que se coloca a seguir é, dadas estas incidências *relativas* da miséria e da pobreza, quais suas incidências *absolutas*? Em outras palavras, *onde* vivem os pobres? Naturalmente, o que entra em jogo agora é a distribuição espacial da população, que no caso brasileiro é muito desigual. O quadro 4 apresenta a distribuição das proporções de famílias e pessoas em situação de miséria e de pobreza para todas as cinco macro-regiões e segundo a situação rural, metropolitana e urbana não-metropolitana. O primeiro ponto a observar é que, dada a maior concentração de famílias com rendimento *per capita* até 1/4 de salário mínimo nas áreas rurais e uma relativa maior concentração de famílias na faixa *entre* 1/4 e 1/2 salário mínimo nas áreas urbanas, a predominância rural ou urbana muda conforme estejamos considerando as famílias em situação de miséria ou aquelas no caso mais abrangente de pobreza. Quando olhamos para as famílias miseráveis, a proporção destas habitando as áreas rurais é de 51,4%, constituindo portanto a maioria; por outro lado, as famílias miseráveis, a proporção destas habitando as áreas rurais é de 51,4%, constituindo portanto a maioria; por outro lado, as famílias pobres habitam majoritariamente as áreas urbanas, numa proporção que quase chega atingir a 58% destas famílias pobres.

Um fato que surpreende, dada a expectativa de que a pobreza urbana estivesse maciçamente concentrada nas áreas metropolitanas, pobreza mais visível e vocal, é a constatação que sua grande maioria está, de fato, espalhada pela enorme rede urbana não-metropolitana. Esta maior concentração — e aqui, paradoxalmente, o termo mais adequado é dispersão — nas áreas urbanas não-metropolitanas é válida tanto para as famílias na faixa de miséria quanto para aquelas em situação de pobreza. Obviamente, a explicação deste fato um tanto inesperado reside no maior peso *agregado* das áreas não-metropolitanas em relação às metrópoles, além da maior *incidência relativa* de pobres nas áreas não-metropolitanas, que é particularmente elevada no caso do Nordeste. Assim, quando observamos que mais de 29 milhões de pobres no Brasil estão localizados em áreas urbanas, é preciso ter em mente que quase 20 milhões deles estão dispersos pela rede de pequenas e médias cidades fora da órbita metropolitana. Obviamente, este fato deve dificultar sobremaneira a execução de políticas setoriais orientadas ao abrandamento das carências materiais da população pobre, como é o caso das políticas de saneamento, habitação e transportes.

É claro que não se deve minimizar a importância da pobreza nas áreas metropolitanas: 15% das famílias miseráveis e 19% daquelas na faixa mais ampla de pobreza. O que é marcante no caso da pobreza metropolitana é sua grande concentração no eixo Rio-São Paulo. Tomando por base as pessoas em situação de pobreza, apenas a RM do Rio de Janeiro sozinha dá conta de 1/4 da pobreza metropolitana no país. Se a ela adicionarmos os números referentes à RM de São Paulo, esta proporção sobe a quase metade (mais precisamente, 47,%) dos pobres nas metrópoles brasileiras, somando ao

QUADRO 4

DISTRIBUIÇÃO REGIONAL DA MISÉRIA E DA POBREZA — FAMÍLIAS E PESSOAS — RENDA FAMILIAR ATÉ 1/4 E ATÉ 1/2 SALÁRIO MÍNIMO *PER CAPITA*

Regiões	Famílias (em mil)				Pessoas (em mil)			
	Até 1/4 s.m.	%	Até 1/2 s.m.	%	Até 1/4 s.m.	%	Até 1/2 s.m.	%
0. Brasil	4.692	100	11.066	100	24.444	100	53.172	100
0.1 Urbano	2.278	48,6	6.384	57,7	10.651	43,6	29.150	54,8
0.1.1 Metropolit.	706	15,0	2.108	19,0	3.110	12,7	9.471	17,8
0.1.2 Não-metr.	1.572	33,6	4.276	38,7	7.541	30,9	19.679	37,0
0.2 Rural	2.414	51,4	4.682	42,3	13.793	56,4	24.022	45,2
1. Norte	88	1,9	254	2,2	445	1,8	1.325	2,5
1.1 Urbano	88	1,9	254	2,2	445	1,8	1.325	2,5
1.1.1 R. M. Belém	21	0,5	63	0,5	85	0,3	287	0,6
1.1.2 Urb. não-metr.	67	1,4	191	1,7	360	1,5	1.038	1,9
2. Nordeste	2.653	56,5	4.161	46,6	14.524	59,4	25.830	48,6
2.1 Urbano	1.026	21,9	2.391	21,6	5.101	20,9	11.369	41,4
2.1.1 R. M. Recife	94	2,0	236	2,1	433	1,8	1.099	2,1
2.1.2 R. M. Fortaleza	61	1,3	170	1,5	305	1,2	828	1,6
2.1.3 R. M. Salvador	44	0,9	132	1,2	206	0,9	639	1,2
2.1.4. Urb. não-metr.	827	17,7	1.853	16,8	4.157	17,0	8.803	16,5
2.2 Rural	1.627	34,6	2.770	25,0	9.423	38,5	14.461	27,2

QUADRO 4 (continuação)

Regiões	Famílias (em mil)				Pessoas (em mil)			
	Até 1/4 s.m.	%	Até 1/2 s.m.	%	Até 1/4 s.m.	%	Até 1/2 s.m.	%
3. Sudeste	1.230	26,2	3.511	31,7	5.925	24,2	16.076	30,2
3.1 Urbano	824	17,6	2.574	23,3	3.592	14,7	11.321	21,3
3.1.1 R. M. Rio	178	3,8	570	5,2	724	3,0	2.401	4,5
3.1.2 R. M. S. Paulo	170	3,6	480	4,3	714	2,9	2.147	4,0
3.1.3 R. M. B. Horizonte	61	1,4	187	1,7	301	1,2	883	1,7
3.1.4 Urb. não-metr.	415	8,8	1.337	12,1	1.853	7,6	5.890	11,1
3.2 Rural	406	8,6	937	8,4	2.333	9,5	4.755	8,9
4. Sul	480	10,2	1.442	13,0	2.302	9,4	6.551	12,3
4.1 Urbano	214	4,6	744	6,7	918	3,7	3.185	6,0
4.1.1 R. M. Porto Alegre	26	0,6	94	0,8	101	0,4	372	0,7
4.1.2 R. M. Curitiba	24	0,5	93	0,8	115	0,4	420	0,8
4.1.3 Urb. não-metr.	164	3,5	557	5,1	702	2,9	2.393	4,5
4.2 Rural	266	5,6	698	6,3	1.384	5,7	3.366	6,3
5. Centro-Oeste	240	5,1	697	6,3	1.250	5,1	3.389	6,4
5.1 Urbano	126	2,7	421	3,8	595	2,4	1.950	3,7
5.1.1 R. M. Brasília	27	0,6	83	0,8	126	0,5	395	0,8
5.1.2 Urb. não-metr.	99	2,1	338	3,0	469	1,9	1.555	2,9
5.2 Rural	114	2,4	276	2,5	655	2,7	1.439	2,7

todo mais de 4,5 milhões de pessoas carentes só nestas duas áreas. A concentração de pobres em Belo Horizonte e nas metrópoles nordestinas, especialmente em Recife e Fortaleza, é também bastante considerável; já nas metrópoles da Região Sul, em Brasília e em Belém — áreas de menor porte — a incidência *absoluta* de pobres é relativamente modesta, sendo responsáveis ao todo por menos de 16% da pobreza metropolitana.

Mais uma vez, a face nordestina da pobreza brasileira se mostra com clareza: quase metade (48,6%) dos pobres e 59,4% das pessoas em estrita miséria habitam a região Nordeste. Só a área rural nordestina dá conta de mais de 1/4 (de fato, 27,2%) dos pobres no país. No entanto, é notável também a proporção de pessoas carentes nas pequenas e médias cidades da região, de tal forma que, somando-se área rural e áreas urbanas não-metropolitanas, verificamos que quase 44% dos pobres brasileiros, ou seja, mais de 23 milhões de carentes, se encontram espalhados pelo interior do Nordeste.

Os dados vistos até agora apontam para uma conclusão óbvia: o Brasil apresenta níveis insustentáveis de destituição, apesar dos ganhos relativos sobretudo na última década. A pobreza em geral e em particular a pobreza mais grave — a estrita miséria — ainda permanece em níveis inaceitavelmente elevados. Embora possam ter havido reduções relativas nas proporções da carência, o que importa humana e politicamente é o número *absoluto* de famílias destituídas. É para estas famílias que as estratégias de erradicação da pobreza devem estar orientadas. O desenvolvimento em nosso país tem que ter como compromisso inadiável o resgate de mais de 53 milhões de brasileiros para condições de vida minimamente dignas e compatíveis com as aspirações de uma nação que se quer civilizada.

O perfil da pobreza

Vamos nos concentrar agora principalmente naquelas famílias em situação mais angustiante, as quase 4,7 milhões de famílias miseráveis no Brasil. O que for dito para estas famílias, no entanto, é grosso modo extensível às famílias na situação mais abrangente de pobreza. De forma semelhante, apesar da análise ser feita basicamente a nível nacional, as variações regionais tendem a seguir as linhas descritas anteriormente. Quando julgada importante, a diferenciação por tipo de área e região será apontada.

A chefia feminina, ou melhor — lembrando que em pesquisas oficiais do tipo da PNAD, a menos da inexistência ou incapacitação do homem, a chefia é por definição masculina — a ausência de chefia masculina, é uma das características pessoais do chefe que estão associadas à condição de miséria. Do total de famílias no Brasil cerca de 18% são chefiadas por mulheres. Quando consideramos as famílias na faixa de estrita miséria, a proporção correspondente sobe para 25%. Mesmo quando tomamos as famílias na faixa de pobreza, ainda assim verificamos que cerca de 22% apresentam chefia feminina, valor significativamente acima do valor para a população como um todo. Assim, uma parcela desproporcionalmente grande das famílias pobres, particularmente entre aquelas nos níveis mais graves de miséria, é composta por mulheres e seus eventuais dependentes.

Um outro aspecto a se considerar na análise da miséria no Brasil é que ela é mais freqüente nas fases iniciais do ciclo de vida familiar do que nas fases mais tardiais. Nas fases iniciais do ciclo de vida freqüentemente se dá a conjugação de três fatores negativos: rendimentos ainda modestos devido à carreira sócio-econômica do chefe ainda estar começando, maior taxa de dependência devido ao início do ciclo reprodutivo, motivo que também ocasiona uma menor participação do cônjuge na força de trabalho. Assim a condição usual é que as famílias jovens têm uma maior probabilidade de se encontrarem em situação sócio-econômica precária do que famílias mais velhas. Por exemplo, entre famílias cujos chefes têm idade inferior ou igual a 29 anos cerca de 37% delas estão em situação de pobreza (renda familiar até 1/2 salário mínimo); já entre famílias com chefes entre 50 e 59 anos de idade esta proporção já caiu a 29%. Entretanto com a perda do poder laborativo, há uma tendência a aumentar as chances de se voltar à condição de pobreza, sendo que a proporção de famílias pobres com chefes com 60 anos e mais sobe para 35%.

Como se poderia imaginar, a combinação de idade com sexo do chefe tem efeitos particularmente perversos na determinação da condição de pobreza das famílias. A proporção de famílias chefiadas por mulheres jovens que se encontram na pobreza é brutalmente superior ao observado para o restante da população, conforme podemos verificar no quadro abaixo.

QUADRO 5

PROPORÇÃO DE FAMÍLIAS NA POBREZA POR IDADE E SEXO DO CHEFE

Idade do chefe	Sexo do chefe	
	Homem	Mulher
Até 29 anos	32,8%	59,0%
30 a 39 anos	36,7%	43,8%
40 a 49 anos	34,4%	35,0%
50 a 59 anos	28,9%	29,8%
60 anos e mais	34,8%	37,6%

Mais da metade das famílias chefiadas por mulheres com até 29 anos de idade está em situação de pobreza. Embora a incidência da pobreza tenda a declinar com a idade do chefe (subindo novamente ao fim da vida), até cerca de 50 anos de idade as famílias com chefia feminina mostram proporções de famílias pobres acima da média da população brasileira como um todo.

No Brasil a miséria e a pobreza estão intimamente associadas ao trabalho na agropecuária e extração por um lado e na prestação de serviços por outro, as quais concentra grande número de trabalhadores envolvidos em relações não formais de trabalho, homens predominantemente na agropecuária e mulheres no serviço doméstico e nos cuidados pessoais. O que é interessante notar é que estes grupos ocupacionais estão associados a maiores probabilidades de inserção na miséria e na pobreza *independentemente* da região e da condição do domicílio envolvido, embora os níveis de carência no Nordeste sejam sempre bem maiores do que os para as demais regiões. Este fato pode ser observado no quadro que se segue.

Além disso, existem alguns fatores que, incidindo mais fortemente na população de baixa renda, agravam sobremaneira a situação de carência destas famílias. Um destes fatores é a desigualdade na proteção previdenciária e trabalhista oferecida a elas. Segundo a PNAD/85, entre as famílias em situação de miséria, 2.915 mil

QUADRO 6

PROPORÇÕES DE FAMÍLIAS NA FAIXA DE MISÉRIA POR OCUPAÇÃO DO CHEFE, REGIÃO E SITUAÇÃO DO DOMICÍLIO

Região e situação	Ocupação do chefe							
	Técnicas, científ.	Administrativa	Agrop. e extr.	Ind. e const. civil	Comércio	Transportes e com.	Serviços	Outras
Brasil	5,9	3,7	34,3	9,4	8,7	6,0	21,6	11,7
Áreas rurais:								
Nordeste	22,9	14,3	53,0	32,7	17,0	13,7	58,3	28,5
Sudeste	6,9	4,7	28,1	11,0	5,3	3,4	27,2	13,7
Sul	0,0	0,2	19,0	4,4	10,0	4,1	24,4	4,1
Centro-Oeste	22,5	5,3	23,2	14,1	9,6	7,0	34,4	11,5
Áreas urbanas não--metropolitanas:								
Norte	2,5	0,3	19,6	5,7	3,1	3,1	20,5	8,7
Nordeste	5,9	3,1	39,7	21,7	12,9	7,5	49,5	23,2
Sudeste	0,8	0,6	12,3	3,8	2,9	1,7	19,6	6,0
Sul	1,0	0,0	14,6	3,1	2,9	1,4	15,9	4,0
Centro-Oeste	1,7	0,6	12,2	4,2	2,8	1,8	19,3	7,0
Metrópoles:								
Belém	0,4	0,3	12,1	5,3	4,3	0,7	26,2	7,7
Recife	1,6	1,1	16,7	8,3	10,3	4,4	35,1	13,1
Fortaleza	1,9	0,8	23,4	13,3	9,2	4,9	32,5	14,9
Salvador	1,0	0,6	24,1	5,5	4,7	0,3	25,1	7,5
Rio de Janeiro	0,2	0,2	21,1	4,3	4,3	1,4	14,8	5,6
São Paulo	0,0	0,3	10,4	1,3	2,5	1,2	6,8	3,0
Belo Horizonte	0,5	0,7	20,9	7,3	3,7	1,4	20,8	9,7
Porto Alegre	0,2	0,2	4,8	1,2	1,4	0,2	9,6	3,4
Curitiba	0,4	0,2	19,2	2,2	3,2	0,7	5,5	4,0
Brasília	0,4	0,2	21,8	5,6	2,4	1,4	16,8	5,4

delas não tinham chefe contribuindo à Previdência Social, valor que corresponde a nada menos do que 85,8% destas famílias. Olhando pelo lado das famílias e pessoas pobres, encontramos um total de 5.919 mil famílias sem contribuição previdenciária pelo chefe, o que nos permite supor que cerca de 31 milhões de pessoas em nosso país, além de se encontrarem em grave situação econômica, não podem se beneficiar do mínimo de proteção social oferecido pelo sistema previdenciário.

Resultados semelhantes são obtidos quando se examina a desproteção trabalhista. Como se sabe, a carteira de trabalho assinada pelo empregador é um instrumento jurídico necessário à qualificação do empregado à cobertura da legislação trabalhista, que inclui férias, décimo terceiro salário, seguro desemprego etc. Não possuir a carteira assinada pelo empregador representa portanto a exclusão do empregado — e por extensão, de sua família — destes benefícios. Como pode ser verificado no quadro 7, no Brasil como um todo, 3/4

QUADRO 7

PROTEÇÃO PREVIDENCIÁRIA E TRABALHISTA ÀS FAMÍLIAS
MISERÁVEIS POR REGIÃO E SITUAÇÃO DO DOMICÍLIO

Região e situação	Proporção de famílias miseráveis cujo chefe não	
	contribui à previdência	tem carteira assinada
Brasil	85,8	75,1
Áreas rurais:		
Nordeste	96,3	89,4
Sudeste	90,7	78,9
Sul	85,4	75,0
Centro-Oeste	91,5	85,4
Áreas urbanas não-metropolitanas:		
Norte	74,1	68,1
Nordeste	79,5	70,6
Sudeste	69,5	65,3
Sul	68,9	62,2
Centro-Oeste	68,8	65,5
Metropolitanas:		
Belém	64,0	54,0
Recife	66,6	55,5
Fortaleza	62,7	54,9
Salvador	61,2	49,1
Rio de Janeiro	67,8	59,8
São Paulo	63,2	60,1
Belo Horizonte	54,6	44,7
Porto Alegre	56,4	38,8
Curitiba	71,7	57,4
Brasília	67,2	49,7

dos empregados não possuem o "privilégio" de uma carteira de trabalho assinada, as proporções sendo mais elevadas nas áreas rurais do que nas urbanas, menor nas áreas metropolitanas do que nas não-metropolitanas. Mas mesmo nas metrópoles brasileiras, tipicamente mais da metade dos empregados não têm carteira assinada, proporção que atinge um máximo nas RM de São Paulo e do Rio de Janeiro, onde chegam a atingir a marca de 60%. A desproteção por falta de amparo público adequado é ainda uma das características a marcar a miséria e a pobreza no Brasil de 1985.

Criando a miséria futura

Um outro agravante da situação de carência é a presença de crianças na família. Como sabemos, a exposição de crianças à situação de pobreza, marcando-as com uma série de deficiências físicas e, por vezes, mesmo intelectuais, tende a projetar no futuro as seqüelas da situação de carência no presente. A criança fraca, doente e desnutrida de hoje é o cidadão inválido e incapaz de amanhã.

Um dos fatos que devemos lembrar é que a situação de pobreza está associada aos estágios iniciais do ciclo de vida das famílias, coincidindo em ampla medida com a fase reprodutiva dos casais. Além disso, sabemos que as famílias mais pobres apresentam um nível reprodutivo mais elevado do que as famílias em melhor situação econômica. Assim, não é de surpreender que a pobreza no Brasil seja caracterizada por uma presença mais freqüente e mais numerosa de crianças (aqui definidas como tendo entre 0 e 14 anos de idade) do que para a população como um todo. O quadro 8 nos apresenta a distribuição do número de crianças na família pelo nível de renda familiar *per capita*.

Na população brasileira 64% das famílias tinham pelo menos uma criança entre seus membros. Quando consideramos as famílias miseráveis observamos que 87% delas — ou seja, mais de 4 milhões de famílias — estão neste caso de incluírem pelo menos uma criança. No outro lado do espectro, vemos que entre as famílias na faixa de miséria, nada menos de 33,7% delas tinham 4 ou mais crianças. Como contraste, observe-se que entre famílias como renda superior a 2 salários mínimos *per capita*, a proporção de famílias com 4 crianças ou mais é sempre inferior a 2%.

QUADRO 8

NÚMERO DE CRIANÇAS NA FAMÍLIA POR FAIXA DE RENDA FAMILIAR *PER CAPITA*

Número de crianças na família	Faixas de renda familiar per capita									Total
	Até 1/4	1/4 a 1/2	1/2 a 1	1 a 2	2 a 3	3 a 5	5 a 10	10 a 20	20 ou	
0	12,9	25,0	34,7	43,8	52,0	55,0	57,5	70,3	84,5	35,9
1	18,2	21,6	25,0	25,8	24,4	21,4	20,5	15,9	8,9	22,8
2	18,4	20,8	20,5	18,4	15,5	15,6	15,6	10,3	4,7	18,6
3	16,9	15,3	12,3	8,8	6,3	6,9	5,4	2,9	1,3	11,5
4 ou mais	33,7	17,4	7,5	3,2	1,8	1,2	1,1	0,7	0,7	11,1

Em termos agregados, estes fatos implicam em dizer que no Brasil, de um total de 47.852 mil crianças, cerca de 25.396 mil delas (isto é, 53,1% das crianças) vivem em situação de pobreza. O número de crianças miseráveis chega a atingir 13.173 mil, mais de 1/4 (precisamente, 27,5%) do total de crianças no país. Ou seja: *a maioria das nossas crianças são pobres.* Por outro lado, estes números absolutos implicam em dizer 48% das pessoas em situação de pobreza e 54% das pessoas na miséria são crianças. Ou seja: *a maioria dos nossos pobres são crianças* (no mínimo, a metade deles). Estes números dramáticos sem dúvida, mostram a gravidade e a urgência do nosso problema.

Um outro fator associado à presença de crianças na família, e que pode ser considerada uma dimensão mais estritamente social da pobreza, é escolarização que é oferecida a estas crianças, medida tanto em seus aspectos quantitativos quanto qualitativos. Este é, também, um fator agravante no sentido utilizado antes, na medida que tende a projetar no futuro as carências sofridas no presente. A segregação espacial e a necessidade do trabalho precoce expõem a criança pobre a uma escolarização menos intensa, mais instável e de pior qualidade do que aquela oferecida à população mais favorecida. O resultado neste processo é a acumulação de desvantagens, redundando numa realização escolar da criança pobre muito abaixo do aceitável, mesmo se levando em consideração as notórias deficiências do ensino, público ou particular, em nosso país.

Apesar da compulsoriedade legal de escolarização entre os 7 e 14 anos de idade, a situação do ensino no Brasil é ainda muito deficiente. Verdade é que nas últimas décadas o sistema educacional brasileiro se expandiu bastante e alguns objetivos mais elementares de política educacional parecem estar presentemente em vias de ser atingidos. Por exemplo, a questão da alfabetização pelo sistema formal de ensino. Na PNAD/85 "foram consideradas alfabetizadas as pessoas capazes de ler e escrever pelo menos um bilhete simples no idioma que conhecessem". Se tomarmos as pessoas com idade de 15-19 anos — representativas da última geração egressa do sistema formal de ensino — veremos (Quadro 9) que para a maior parte das áreas do país mais de 90% dos indivíduos eram capazes de preencher os requisitos da PNAD para serem considerados como alfabetizados.

QUADRO 9

GRUPO ETÁRIO DE 15 A 19 ANOS — TAXA DE ALFABETIZAÇÃO (%)

Áreas	Total	Homens	Mulheres
Brasil	88,76	86,20	91,29
Urbano total	93,80	92,83	94,70
Rural	76,22	71,24	81,90
Norte			
RM Belém	96,34	96,03	96,63
Urb. não-metrop.	93,48	92,05	94,80
Nordeste			
RM Recife	88,88	87,73	89,99
RM Fortaleza	90,04	89,33	90,63
RM Salvador	94,13	93,79	94,44
Urb. não-metrop.	82,51	78,21	86,26
Rural	60,92	52,12	70,73
Sudeste			
RM São Paulo	97,72	98,10	97,36
RM Rio de Janeiro	96,98	96,23	97,70
RM Belo Horizonte	96,94	96,79	97,08
Urb. não-metrop.	96,32	96,03	96,61
Rural	88,09	85,77	90,79
Sul			
RM Porto Alegre	97,82	98,23	97,40
RM Curitiba	97,94	97,90	97,98
Urb. não-metrop.	96,37	95,73	96,96
Rural	93,96	92,97	95,10
Centro-Oeste			
Brasília	98,03	97,61	98,37
Urb. não-metrop.	95,49	94,18	96,68
Rural	83,53	79,65	88,43

A única clara exceção é a área rural no Nordeste, que ainda só produz cerca de 61% de alfabetizados, sendo a incidência da alfabetização entre homens nesta área da ordem de 52% e entre mulheres aproximadamente 71%. Aliás, fato de importância para o que diz respeito à composição da futura força de trabalho (e, por extensão, para o próprio sistema de estratificação social), em *todas* as regiões do país — com exceção da RM de São Paulo — na faixa de idade entre 15 e 19 anos, as mulheres apresentam maior nível educacional do que os homens. A nível nacional a diferença a favor das mulheres na percentagem de alfabetizados é superior a 5%: a alfabetização entre homens é da ordem de 86% enquanto que entre mulheres chega a nível de 91% na referida faixa etária.

No entanto, as desigualdades educacionais entre pobres e não-pobres persiste em níveis significativos. Comparando, por exemplo, a população miserável de idade de 6 a 14 anos com o seu equivalente na população total — da qual, como vimos, ela é parcela muito substancial — vários aspectos se ressaltam. Em primeiro lugar, a taxa de absenteísmo (ou seja, a proporção de crianças fora da escola) é *sempre* muito maior entre crianças oriundas de famílias miseráveis, *aproximadamente o dobro,* daquela observada para a população total em quase todas as idades (Quadro 10). Ao fim da faixa etária de escolaridade obrigatória, 14 anos de idade, enquanto que para a população como um todo 29% das crianças já se encontram fora (ou nunca estiveram dentro) da escola, entre as crianças carentes este valor chega a atingir 40%. É ocioso dizer que, se considerássemos não as crianças de um modo geral mas somente aquelas oriundas de famílias ricas (qualquer que seja a definição), o contraste seria ainda mais gritante.

Além de apresentarem taxas muito mais elevadas de absenteísmo, as crianças pobres *que permanecem no sistema escolar* sofrem ainda retardos na progressão escolar que crescem rapidamente em função da idade. Novamente, comparando as populações miserável e total, observamos que já aos 8 anos de idade a criança de família miserável apresenta um retardo médio — isto é, número médio de anos em atraso considerando-se a norma de entrada aos 7 anos na 1.ª série do 1.º grau e de saída da faixa de escolarização obrigatória com 14 anos na 8.ª série do mesmo grau — de aproximadamente — 0,8 ano, muito acima daquilo observado para a população como um todo (—0,3 ano). Ao fim do período de escolarização obrigatória a criança de família miserável já acumulou um retardo de —4,0 anos, valor facilmente conduzente ao desestímulo e à evasão escolar.

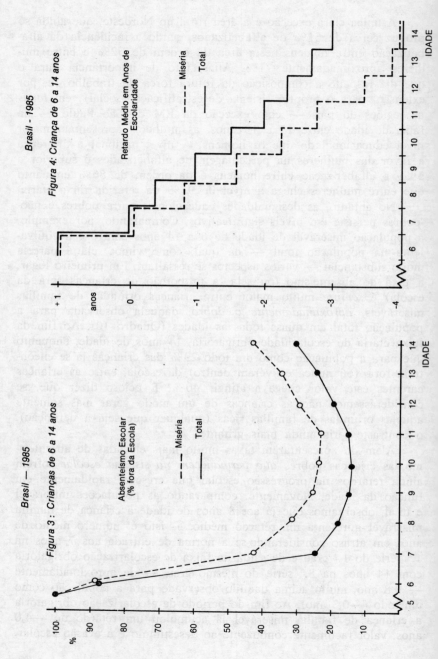

Brasil - 1985

Figura 4: Criança de 6 a 14 anos

Retardo Médio em Anos de
Escolaridade

--- Miséria
— Total

Brasil — 1985

Figura 3: Crianças de 6 a 14 anos

Absenteísmo Escolar
(% fora da Escola)

--- Miséria
— Total

QUADRO 10

ABSENTEÍSMO E RETARDO ESCOLAR — POPULAÇÃO DE 6 A 14 ANOS — BRASIL — 1985 — POPULAÇÃO NA FAIXA DE MISÉRIA

Idade	Absenteísmo	Pessoas atualmente cursando a série (%)									Retardo
		1.ª	2.ª	3.ª	4.ª	5.ª	6.ª	7.ª	8.ª	2.º Grau	
6	87,6	12,4	—									+ 1,0
7	42,3	55,0	2,7	—								+ 0,1
8	30,1	55,3	13,2	1,4	—							− 0,8
9	25,5	44,8	21,5	7,3	0,9	—						− 1,5
10	23,6	35,0	22,3	12,9	5,9	0,3	—					− 2,1
11	22,2	27,5	19,4	16,8	10,2	3,4	0,5	—				− 2,7
12	27,3	18,2	17,6	15,9	12,4	6,3	2,0	0,3	—			− 3,3
13	32,1	14,2	12,4	14,4	13,0	8,2	3,7	1,8	0,2	—		− 3,9
14	40,4	10,1	7,0	10,8	10,7	7,1	4,4	4,1	1,6	3,8		− 4,0

População Total

Idade	Absenteísmo	Pessoas atualmente cursando a série (%)									Retardo
		1.ª	2.ª	3.ª	4.ª	5.ª	6.ª	7.ª	8.ª	2.º Grau	
6	86,1	14,9	—									+ 1,0
7	26,0	67,0	6,6	—								+ 0,1
8	16,4	45,6	3,00	5,0	—							− 0,3
9	12,9	28,1	29,6	25,2	4,2	—						− 0,9
10	12,2	18,9	21,9	22,7	21,1	3,2	—					− 1,4
11	12,6	13,6	16,0	18,9	19,6	16,7	2,6	—				− 1,8
12	17,3	8,9	11,4	14,6	16,3	16,5	12,6	2,4	—			− 2,2
13	22,1	5,9	7,6	10,4	13,2	15,0	12,7	11,4	1,7	—		− 2,5
14	29,4	5,3	4,8	6,5	9,0	11,5	11,0	10,6	10,1	6,8		− 2,8

Os dados da PNAD/85 nos permitem ainda avançar na compreensão das condições domiciliares que compõem o que poderíamos chamar de "ecologia da pobreza". Freqüentemente ignoramos ou mesmo esquecemos, as condições de vida experimentada pelas populações de baixa renda em nosso país. Daí o espanto quando nos defrontamos com estatísticas como as que medem nossos absurdos e inaceitáveis índices de mortalidade infantil. Na tabela abaixo apresentamos alguns indicadores selecionados da qualidade de vida doméstica da população na faixa de miséria nas diversas regiões e situações do país.

Embora haja uma variação especial bastante grande nos índices de qualidade de vida domiciliar, os valores indicam grandes níveis carenciais, com algumas poucas exceções. De um modo geral, como seria de se esperar, as áreas metropolitanas possuem uma infra-estrutura de serviços que chega a se estender à grande maiora da população, mesmo àquela em situação de miséria. De forma semelhante, a população carente urbana não-metropolitana, embora não mostrando o mesmo nível de bem-estar relativo que o das áreas metropolitanas, parecem desfrutar de condições de vida sensivelmente melhores que seus equivalentes nas áreas rurais. O quadro que emerge destes indicadores é, no entanto, o de uma destituição aviltante.

Como se sabe, as causas de morte mais importante quando consideramos a mortalidade infantil é a diarréia e suas seqüelas, estado mórbido associado às condições de higiene em geral e, particularmente, à utilização de alimentos e água contaminados. Dessa forma, o tristemente notório quadro da mortalidade infantil em nosso país ganha consistência e sentido quando o cotejamos com as estatísticas acima: no Brasil como um todo, nada menos de 79% das famílias em pobreza extrema não possuem geladeira, expondo-as ao eventual consumo de alimentos deteriorados; mais de 85% destas famílias moram em domicílios sem escoadouro adequado, expondo-as a precárias condições de higiene pessoal; cerca de 71% das famílias na miséria moram em domicílio sem água encanada, e 65% destas famílias não possuem filtro em casa, expondo-as ao consumo de água por vezes contaminada. Nestas condições de vida o que deve causar espanto é o fato de que algumas crianças consigam sobreviver.

INDICADORES DE QUALIDADE DE VIDA — POPULAÇÃO MISERÁVEL

Região e situação	sem iluminação elétrica	rústicos, quarto ou cômodo	% famílias em domicílios			
			sem canalização interna de água	% sem escoadouro adequado *	sem filtro	sem geladeira
Brasil	51,8	23,5	71,3	85,2	65,0	79,2
Áreas rurais:						
Nordeste	88,2	39,5	97,2	99,4	75,7	97,2
Sudeste	67,9	19,5	93,6	96,1	43,8	90,6
Sul	64,3	9,2	96,2	94,2	92,5	76,0
Centro-Oeste	86,3	34,9	95,1	99,8	49,8	95,1
Áreas urbanas não-metropolitanas:						
Norte	30,5	17,6	36,4	88,0	76,4	62,9
Nordeste	27,6	19,1	44,4	90,8	66,3	80,5
Sudeste	15,5	7,6	18,4	55,4	41,5	61,6
Sul	23,8	6,7	26,8	74,1	88,5	57,1
Centro-Oeste	31,4	10,2	49,5	95,3	36,6	68,6
Metrópoles:						
Belém	2,6	14,7	19,4	63,9	69,7	44,0
Recife	6,2	15,6	31,6	84,3	68,2	57,2
Fortaleza	25,2	18,6	57,4	64,2	47,3	63,5
Salvador	13,2	22,2	31,4	73,3	47,9	49,0
Rio de Janeiro	7,1	8,4	24,4	33,0	56,4	27,1
São Paulo	2,4	15,7	13,0	42,0	50,7	39,5
Belo Horizonte	9,6	6,2	23,4	65,4	25,0	62,7
Porto Alegre	12,5	10,3	13,8	63,7	89,2	40,1
Curitiba	27,7	16,9	35,3	67,6	94,3	69,1
Brasília	13,9	23,3	17,6	30,9	30,6	59,1

* Nota: Rede geral ou fossa séptica.

FONTE: FIBGE — PNAD/85 — Tabulações Especiais.

REFERÊNCIAS BIBLIOGRÁFICAS

Abranches, S. *Os Despossuídos. Crescimento e Pobreza no País do Milagre.* Rio, Zakar, 1985.

Altimir, O. *La Dimensión de la Pobreza en América Latina.* Santiago, CEPAL, 1978.

Birdsall, N. *Population and Poverty in the Developing World.* Washington, World Bank, 1980.

Calsing, E. *Dimensionamento e Caracterização da Pobreza no Brasil* (mimeo). Brasília, CNRH, 1983.

CEPAL. *La Pobreza en América Latina: Dimensiones y Políticas.* Santiago, CEPAL, 1985.

Costa. R. A. "Pobreza no Brasil: uma análise recente", in Calsing, E., B. V. Schmidt e R. A. Costa. *O Menor e a Pobreza.* Brasília, IPLAN/IPEA, 1986.

Grant, J. P. *Disparity Reduction Rates in Social Indicators.* Washington, 1978.

Hoffman, H. "Pobreza e propriedade no Brasil: o que está mudando?" in Bacha, E. H. S. Klein (eds.), *A Transição Incompleta: O Brasil desde 1945.* Rio, Paz e Terra, 1986.

Hoffman, R. "A pobreza no Brasil: análise dos dados dos Censos Demográficos de 1970 e 1980", trabalho apresentado ao VI Encontro Brasileiro de Econometria. São Paulo, 1984.

Lustosa, T. "Os limites da pobreza" (mimeo). Rio, IEI/UFRJ, 1987.

Pastore, J.; H. Zylberstajn & C. S. Pagotto. *Mudança Social e Pobreza no Brasil: 1970-1980 (o que ocorreu com a família Brasileira?).* São Paulo, Pioneira, 1983.

PREALC. *Buscando la Equidad.* Santiago, OIT, 1986.

Santos, W. G. dos. O Estado social da Nação", in Jaguaribe, H.; W. G. dos Santos; M. P. Abreu; W. Fritsch e F. B. de Ávila, *Brasil, 2000.* Rio, Paz e Terra, 1986.

Sen, A. *Poverty and Famines.* Oxford, Clarendon, 1981.

Serra, J. "Ciclos e mudanças estruturais na economia brasileira de após-guerra". *Revista de Economia Política* 2/2, n. 6, abril-junho/82.

Szal, R. "Poverty: measurement and analysis". Genebra, OIT, 1977.

UNICEF. "Dimensiones de la pobreza en América Latina y el Caribe". Santiago, UNICEF, 1982.

3

Et plus ça change... tendências históricas da fluidez social no Brasil

Introdução

NÃO CREMOS SER INCORRETO dizer que, após mais de uma década de predominância dos chamados modelos de "realização sócio--econômica",[1] algumas inovações metodológicas na área da análise de dados — notadamente, o desenvolvimento de técnicas adequadas ao tratamento de dados qualitativos — propiciaram uma mudança de certa maneira radical na abordagem do problema da mobilidade ocupacional e da estratificação social. Essa mudança não é apenas de caráter estritamente metodológico, envolvendo uma tecnologia de análise de dados nova, mas, sobretudo, representa também uma mudança ao nível substantivo. Os modelos de "realização sócio-econômica" se fundamentam numa perspectiva individualista-voluntarista e se preocupam basicamente em responder à questão: que fatores, na história do indivíduo, explicam o seu nível de realização sócio--econômica (ou seja, seu nível educacional, sua posição ocupacional e seu nível econômico) atual? Já a introdução e modelos adequados ao tratamento de informações qualitativas permitiu um retorno às preocupações originais dos primeiros estudos sobre mobilidade ocupacional, que se interessavam fundamentalmente pela análise do nível e do padrão de fluidez ou rigidez do sistema social. A perspectiva voltou a ser em essência estrutural, e a preocupação é no sentido de se quantificar barreiras à mobilidade social e de identificar as possíveis fronteiras de "classe".[2] O foco de estudo não é tanto a trajetória social dos indivíduos mas, mais propriamente, a relação entre os diversos estratos sociais.

Assim, algumas questões centrais na área da estratificação social começam a ter respostas mais rigorosas. Uma delas diz respeito ao

Este capítulo, de autoria de Nelson do Valle Silva e Déborah Roditi, foi originalmente publicado em DADOS — Revista de Ciências Sociais, Rio de Janeiro, v. 29/345-363, n. 3, 1986.

impacto do desenvolvimento econômico sobre o regime de mobilidade social. A mobilidade ocupacional tem sido considerada na literatura de estratificação o indicador por excelência do nível de abertura ou fluidez do sistema social, quanto mais aberto e democrático for esse sistema, quanto mais fácil e desestruturada será a mobilidade ocupacional. Partindo da observação de que nas sociedades ditas "tradicionais" o sistema de estratificação é rígido, com pouca ou nenhuma mobilidade social, e que nas sociedades industrializadas a estratificação é fluida e a mobilidade elevada, tem-se sugerido repetidamente que a industrialização leva a uma crescente abertura do sistema social. A democratização da sociedade — no que diz respeito à distribuição de oportunidades — é função, segundo esses autores, do quão rápido e do quão profundamente se pode nela implantar uma economia industrial e moderna.

O presente capítulo explora essa ordem de idéias. Na primeira seção apresentamos, de forma sumária, os principais elementos da chamada "tese do industrialismo". Nas seções seguintes, apoiados na experiência brasileira — uma sociedade que experimentou um processo de crescimento econômico-industrial muito acelerado nos últimos 30 anos — examinamos a plausibilidade empírica da idéia de que o desenvolvimento industrial leva a uma maior abertura na estratificação social. A evidência levantada aponta claramente no sentido de que não parece existir qualquer mudança de monta na distribuição de *chances* relativas entre os diversos estratos sociais que possa ser atribuída ao crescimento econômico, pondo em questão, portanto, as prescrições que seguem da "tese do industrialismo".

Industrialização e mobilidade social

Em sua abrangente revisão da literatura sobre mobilidade social comparada, Judah Matras observa que os estudos nessa área ainda não conseguiram escapar da estreita "jaula do industrialismo",[3] uma jaula antiga mas resistente. A tese de que o desenvolvimento econômico em geral, e a industrialização em particular, afetam positivamente a mobilidade social tornou-se mais conhecida com o famoso trabalho de Lipset e Bendix,[4] embora sua versão mais precisa seja devida a Donald Treiman.[5] Alinhavando algumas das principais idéias envolvidas nessa tese, podemos dizer que ela supõe que a industrialização afeta inicialmente os elementos da *estrutura* da estratificação, ou seja, modifica a distribuição dos bens, recursos e posições socialmente significativos. Numa segunda instância, o efeito

96

sobre a estrutura conduz a modificações no próprio *processo* de estratificação (ou "mobilidade social"), isto é, nas próprias regras de distribuição dos indivíduos nessa estrutura. De um modo geral, considera-se que o elo central nessa transformação seja a mudança na estrutura ocupacional. Em primeiro lugar, industrialização implica redistribuição setorial da força de trabalho — um aumento na produtividade do setor agrícola e um decréscimo na proporção de indivíduos dedicados à produção nesse setor. Mesmo no setor não--agrícola, verifica-se usualmente uma mudança profunda: o aumento da mecanização e a introdução de técnicas poupadoras de mão-de--obra têm como resultado um crescimento mais rápido do emprego na produção de serviços do que na produção de bens, implicando um aumento da razão entre trabalhadores não-manuais e trabalhadores manuais. De forma semelhante, com o crescimento da escala de desenvolvimento da atividade econômica, faz-se necessária a ampliação e a melhoria do sistema de transportes e de comercialização, o que naturalmente gera um aumento proporcional das ocupações de escritório e de administração e reforça a tendência no sentido do aumento da proporção de indivíduos engajados em atividades não--manuais e com certo nível de qualificação.

As mudanças na estrutura da estratificação estão associadas a um processo de racionalização caracterizado por uma crescente substituição de critérios atribuídos por critérios universalísticos na alocação de papéis. A educação formal torna-se cada vez mais o canal privilegiado para o preenchimento de posições na estrutura ocupacional. Além disso, a extensão dos meios de comunicação de massa, a crescente urbanização e a maior mobilidade geográfica contribuem para minar a rigidez da estrutura de classes das sociedades tradicionais e, assim, aumentar a mobilidade social.

"A principal conseqüência da exposição onipresente da população aos meios de comunicação de massas, característica das sociedades industriais, é o desenvolvimento de uma cultura comum e a diminuição de diferenças regionais, étnicas e de classe nas atitudes e comportamento (...) a maior urbanização e a maior mobilidade geográfica devem ter o efeito de reduzir o componente adstrito da realização de *status*. Indivíduos migrando para novos lugares ou vivendo em grandes centros urbanos têm que alcançar o sucesso na base de seu próprio talento, sem o auxílio ou o prejuízo que teriam devido ao *status* de seus pais nas comunidades menores, em que todo mundo se conhece". [6]

A evidência empírica em torno da tese do industrialismo é bastante inconclusiva. Alguns estudos, utilizando dados de tipo *cross--section* para diversos países, não descobriram qualquer associação significante entre industrialização e mobilidade.[7] Outros, entretanto, tendo por base dados de tipo retrospectivo, [8] apresentam evidências no sentido de uma relação positiva entre aquelas duas variáveis e permitem a análise de suas tendências temporais. Mesmo assim, tais evidências, nos estudos citados, têm se restringido a países já plenamente industrializados, como os Estados Unidos e a Inglaterra.

Uma variante da tese do industrialismo é a hipótese oferecida por Lipset e Zetterberg [9] de que os padrões de mobilidade total nos países industrializados do Ocidente são basicamente os mesmos. Embora repetidamente refutada, [10] essa hipótese tem sobrevivido numa versão modificada por Featherman, Jones e Hauser. [11] Argumentam esses autores que a variação que se observa nas taxas de mobilidade *total* pode ser atribuída a diferenças nas estruturas ocupacionais de cada país, derivadas de mudanças demográficas e históricas específicas. De acordo com essa perspectiva, por vezes chamada de *Revisão FJH,* [12] se as tabelas de mobilidade para esses países se diferenciam devido ao efeito de suas distribuições marginais, logo, uma vez que tenhamos controlado os efeitos dessas diferenças nas distribuições marginais (a mobilidade "estrutural" ou "forçada"), o padrão de mobilidade residual nessas tabelas (a mobilidade "de circulação" ou "por trocas") deve apresentar uma grande similaridade. Ou seja, uma vez que se tenha alcançado um certo nível de industrialização, a fluidez social, [13] representada pelo nível e padrão da mobilidade por trocas, é invariante.

A *Revisão FJH* tem recebido ampla confirmação em diversas comparações entre países, [14] embora as diferenças residuais em relação a esse provável padrão único não pareçam ser de natureza aleatória. Em artigo recente, Grusky e Hauser [15] encontraram uma grande similaridade nos padrões de mobilidade e imobilidade de 16 países em diversos níveis de desenvolvimento. Apesar disso, algumas diferenças sistemáticas entre países permaneceram em níveis significativos, tendo sido explicadas, com sucesso, por um conjunto de variáveis exógenas que representam alguns fatores macroestruturais. De particular importância para esta nossa discussão é o fato dos autores terem concluído que, relativamente a outros fatores, industrialização e educação têm um efeito muito mais modesto sobre a mobilidade do que se tem usualmente suposto, e que as "diferenças na estrutura da mobilidade são pelo menos tão dependentes da organização política quanto do desenvolvimento econômico". [16]

Alguns estudos foram desenvolvidos também em relação à estabilidade temporal da mobilidade de circulação. Hauser e colaboradores, [17] em seu estudo sobre as tendências da mobilidade ocupacional entre homens americanos, concluíram que nenhuma mudança significativa parece ter ocorrido quando os efeitos das distribuições marginais eram devidamente controlados. Esses resultados obtiveram confirmação em trabalhos semelhantes para outros países, como a Grã-Bretanha [18] e o Canadá. [19]

Fazendo um balanço das evidências disponíveis, podemos dizer que os resultados das análises das tendências temporais da mobilidade de circulação, embora baseados em tabelas de mobilidade ricas em informações, têm até hoje se limitado a dados oriundos de sociedades já em adiantado estágio de industrialização. Por outro lado, as análises de tipo *cross-section* ou são baseadas num pequeno conjunto de duas ou três sociedades já industrializadas ou, quando incluem algumas sociedades em processo de industrialização, implicando a manipulação de informações comparáveis, costumam utilizar a mais elementar classificação ocupacional — a tricotomia rural/manual/não-manual. Assim sendo, não dispomos de qualquer estudo a respeito das tendências na mobilidade de circulação *durante* um período histórico de clara industrialização. Ou seja, não há informações a respeito das tendências temporais da mobilidade para sociedades que estejam passando por um processo de transformação industrial. Esta é uma situação desafortunada, uma vez que, como vimos, tanto a tese do industrialismo quanto a *Revisão FJH* sugerem um efeito do desenvolvimento industrial sobre a fluidez social. A única diferença entre as duas é que a *Revisão FJH* admite o desaparecimento desse efeito uma vez que um certo patamar de industrialização tenha sido alcançado. [20]

No presente trabalho examinamos dados de tendências na mobilidade ocupacional entre homens brasileiros cobrindo o período que vai de 1914 a 1973. A industrialização no Brasil, que teve início nas primeiras décadas do século, prosseguiu num ritmo bastante rápido após a Segunda Guerra Mundial e se acelerou ainda mais nas duas últimas décadas. Após um breve período de relativa estagnação, entre 1965 e 1967, quando o Produto Interno Bruto (PIB) cresceu a uma média anual de 3,7%, o Brasil entrou na fase do que se chamou o "milagre econômico", cujo apogeu se estendeu até 1974. Durante os anos do "milagre", o PIB apresentou uma taxa de crescimento médio de 11,2% ao ano, sendo que o valor para a expansão do setor industrial atingiu a 12,7% anuais. [21] Outras mudanças estruturais também ocorreram em velocidade igualmente rápida. Por exemplo, no que diz respeito à urbanização, a proporção de pessoas residindo em áreas urbanas aumentou de 36,2%, em 1950, para 67,6%, trinta anos depois. Correspondentemente, a proporção de pessoas engajadas no setor agrícola caiu de 54% para cerca de 30% durante o período 1960-1980. [22] As mudanças mais radicais na estrutura ocupacional parecem estar localizadas, entretanto, nos seus níveis mais elevados. Enquanto o número absoluto de trabalhadores não-manuais mais que dobrou durante os anos 70, atingindo cerca de 25% do total da força de trabalho ocupada em 1980, o número de trabalhadores no estrato de profissionais liberais e administradores aumentou quase que três vezes. Ou seja, durante essa década houve uma duplicação na *proporção* de trabalhadores nesse estrato. [23]

A experiência brasileira pode constituir, portanto, um interessante caso para estudo das proposições sugeridas pela tese do industrialismo e pela *Revisão FJH*. Segundo essas hipóteses, devemos esperar importantes transformações ao longo do tempo no nível e no padrão da mobilidade ocupacional brasileira, sempre no sentido de um regime mais fluido e aberto. Nossa análise das mudanças temporais da mobilidade ocupacional no Brasil segue a abordagem sugerida por Hauser, [24] consistindo no uso de modelos log-lineares para desembaraçar os efeitos de mudanças exógenas na estrutura ocupacional, por um lado, e o padrão de mobilidade por circulação, por outro.

Dados e variáveis

Os dados utilizados neste estudo são originários da Pesquisa Nacional por Amostra de Domicílios — PNAD, realizada pela Fundação Instituto Brasileiro de Geografia e Estatística — FIBGE no final de 1973. A PNAD é uma pesquisa anual que segue o modelo de pesquisas domiciliares contínuas para levantamento da força de trabalho, cujo exemplo mais conhecido é o Current Population Survey, do Bureau do Censo norte-americano. [25] Na PNAD de 1973 foi incluído um suplemento objetivando a coleta de algumas informações retrospectivas sobre a mobilidade social dos indivíduos. Esse suplemento é a principal fonte de informação para o presente estudo.

A amostra por nós utilizada se restringiu — como é usual em estudos desse gênero [26] — a indivíduos do sexo masculino com idade entre 20 e 64 anos na data da pesquisa. Após a filtragem dos casos que apresentaram lacunas de informação nas variáveis utilizadas (descritas abaixo), o tamanho total da amostra foi reduzido a 13.345 observações.

Os estudos de tendências na mobilidade ocupacional se concentram na análise da chamada mobilidade intergeracional, isto é, na relação entre ocupação do pai e a primeira ocupação do respondente. A informação a respeito da ocupação paterna se refere à posição ocupada pelo pai no momento em que o respondente entrou para o mercado de trabalho. Assim, como ambas as informações se referem a fatos que ocorreram num mesmo ponto fixo da carreira do respondente, e como se dispõe de informações a respeito da data de ocorrência desse ponto (a entrada no mercado de trabalho), pode-se construir coortes de indivíduos que tenham começado a trabalhar na mesma época. A comparação dessas coortes permite uma avaliação das genuínas diferenças temporais da experiência da mobilidade ocupacional, avaliação que fica prejudicada apenas pelas possíveis diferenças sociais na mortalidade e na capacidade de recordar fatos e eventos do passado. [27]

A Tabela 1 apresenta os dez grupos ocupacionais que combinam títulos da classificação do Censo Demográfico de 1970, que é a mesma adotada na PNAD de 1973. Esses grupos estão relacionados em ordem crescente de *status* sócio-econômico médio das ocupações constituintes de cada um deles, [28] mensurado pela escala de posição sócio-econômica das ocupações desenvolvidas por Silva, [29] a partir das informações do Censo de 1970. A análise que será feita mais adiante, no entanto, não requer qualquer suposição a respeito da ordenação das categorias utilizadas.

A variável Coorte foi construída a partir das informações relativas à idade do respondente e à sua idade ao entrar para o mercado de trabalho. Na categorização dessa variável, procurou-se obter coortes temporais que representassem a experiência de momentos históricos e condições de mercado de trabalho nitidamente diferenciadas. Para tanto, optou-se pela utilização de coortes de cinco anos, à exceção do grupo mais velho, de relativa escassez numérica, cuja coorte foi ampliada para cobrir um período de dez anos. A Tabela 2 apresenta a distribuição percentual da variável primeira ocupação, codificada segundo a escala descrita acima, para cada coorte de ano da entrada para o mercado de trabalho.

TABELA 1
ESCALA OCUPACIONAL EM DEZ CATEGORIAS: BRASIL — 1973

Grupo ocupacional	Índice de status
1. Trabalhadores rurais	3,8
2. Trabalhadores em manufaturas tradicionais	6,5
3. Empregados domésticos	7,0
4. Vendedores	7,4
5. Trabalhadores em indústrias modernas	10,1
6. Trabalhadores em Serviços	10,8
7. Trabalhadores não-manuais de rotina	16,3
8. Proprietários no comércio e Serviços	17,0
9. Proprietários na agricultura, fazendeiros	19,8
10. Profissionais liberais e administradores	42,9

FONTE: Nelson do Valle Silva, *Posição Social das Ocupações*... ob. cit.

Numa etapa posterior deste estudo será introduzida uma variável mensurando o grau de instrução do respondente. Na PNAD de 1973 essa variável foi codificada originalmente em nove categorias, variando de "não-alfabetizado" a "nível superior completo", classificação que adotaremos também aqui.

O modelo analítico

A disponibilidade relativamente recente de modelos adequados para análise de dados qualitativos permitiu alguns avanços significativos no estudo da mobilidade social. Um desses avanços foi a possibilidade de se decompor a mobilidade total em seus dois componentes básicos: a mobilidade "estrutural" e a mobilidade "por circulação". Como indicamos anteriormente, a primeira se refere à mobilidade ocasionada pelas mudanças na estrutura ocupacional ocorridas entre a geração dos pais e a geração dos filhos. Em termos da tabela de mobilidade, a mobilidade estrutural pode ser conceitualizada como o efeito sobre a mobilidade total exercido pelas distribuições marginais, representando as distribuições ocupacionais de pais e de filhos. Por outro lado, a mobilidade "por circulação" ou "por trocas", enten-

TABELA 2

DISTRIBUIÇÃO PERCENTUAL POR COORTE DA PRIMEIRA OCUPAÇÃO: BRASIL — HOMENS DE 20 A 64 ANOS — 1973

Grupo ocupacional	Ano da primeira ocupação										
	1914-23	1924-28	1929-33	1934-38	1939-43	1944-48	1949-53	1954-58	1959-63	1964-68	1969-73
1. Trabalhadores rurais	84,7	77,8	73,8	72,1	6,65	64,9	60,7	57,9	55,8	31,4	5,5
2. Trabalhadores em manufaturas tradicionais	10,0	9,7	10,9	10,2	12,8	11,8	14,0	14,3	13,8	18,2	14,3
3. Empregados domésticos	0,8	1,8	3,6	3,0	3,9	3,8	4,5	5,7	6,5	8,5	8,6
4. Vendedores	4,1	5,9	4,8	6,1	7,3	8,4	8,5	8,8	7,9	12,3	11,2
5. Trabalhadores em indústrias modernas	0,3	1,7	1,3	2,7	2,8	3,7	3,5	3,9	4,7	7,3	5,7
6. Trabalhadores em serviços	0,3	1,7	2,1	2,0	1,6	2,2	2,3	2,4	2,6	4,3	9,7
7. Trabalhadores não-manuais de rotina	0,0	1,2	2,6	3,0	3,7	3,6	5,1	5,7	7,2	15,5	35,7
8. Proprietários no comércio e serviços	0,0	0,3	0,3	0,3	0,4	0,3	0,2	0,4	0,2	0,4	1,1
9. Proprietários na agricultura, fazendeiros	0,0	0,0	0,0	0,0	0,1	0,1	0,0	0,1	0,0	0,1	0,0
10. Profissionais liberais e administradores	0,0	0,2	0,6	0,7	0,7	1,3	1,3	0,9	1,2	1,9	8,2
N	392	661	869	1074	1348	1520	1702	1815	2202	1288	474

FONTE: IBGE. Pesquisa Nacional por Amostra de Domicílios, 1973. Tabulações Especiais.
Obs.: Os totais de coluna podem não somar 100 por erro de arredondamento.

dida como a mobilidade que ocorre independentemente dos efeitos provocados pelas mudanças estruturais, pode ser conceitualizada como o efeito do núcleo de associação ("interação") entre as variáveis indicativas da posição social de pais e filhos. De fato, por sua natureza de indicador do nível de abertura ou fluidez de processo de estratificação, a mobilidade de circulação tem sido tradicionalmente considerada o componente mais central nas análises da mobilidade social.

O modelo log-linear geral pode ser adequadamente aplicado às tabelas de mobilidade [30] e, no caso mais simples da tabela bidimensional, ser escrito como:

$$\text{Log } F_{ij} = u + u_i^P + u_j^S + u_{ij}^{PS},\qquad(1)$$

onde $\text{Log } F_{ij}$ é o estimador de máxima verossimilhança via-modelo do logaritmo da freqüência na célula (ij) da tabela de mobilidade.

Os parâmetros u_i^P e u_j^S representam o efeito da distribuição da Ocupação do Pai (P) e da Ocupação do Filho (S) sobre $\text{Log } F_{ij}$, respectivamente. Capturam, portanto, o efeito da mobilidade "estrutural" sobre a mobilidade total. O parâmetro u_{ij}^{PS} representa o efeito sobre $\text{Log } F_{ij}$ da interação entre pai e filho, mensurando, portanto, a chamada mobilidade "por circulação". A avaliação do modelo é feita através da comparação (utilizando uma estatística adequada, discutida abaixo) entre as freqüências observadas na tabela e as freqüências esperadas dado o modelo. Caso essas freqüências sejam suficientemente similares, diz-se então que o modelo se ajusta "bem" aos dados e, portanto, fornece uma explicação plausível ao padrão observado na tabela. O modelo da Equação 1, por conter todos os efeitos possíveis de existir numa tabela bidimensional — e por isso chamado de "modelo saturado" — se ajusta perfeitamente aos dados. Não apresenta, portanto, qualquer interesse substantivo. Mais interessante teoricamente é o modelo em que $u_{ij}^{PS}=0$, o modelo de *independência* entre as variáveis linha e coluna da tabela:

$$\text{Log } F_{ij} = u + u_i^P + u_j^S\qquad(2)$$

No caso das tabelas envolvendo mais uma dimensão — a variável Coorte de Entrada no Mercado de Trabalho —, as análises de tendência temporal na mobilidade [31] são baseadas num modelo log-linear cuja expressão saturada é

$$\text{Log } F_{ijk} = u + u_i^P + u_j^S + u_k^T + u_{ik}^{PT} + u_{jk}^{ST} + u_{ij}^{PS} + u_{ijk}^{PST},\tag{3}$$

onde $\text{Log } F_{ijk}$ representa a estimativa via modelo das freqüências observadas na tabela tridimensional ocupação do pai *vs.* ocupação do filho *vs.* Coorte. Os termos u_i^P, u_j^S, u_k^T representam os efeitos sobre $\text{Log } F_{ijk}$ das distribuições de ocupação do pai, ocupação do filho e tamanho da Coorte, respectivamente; já os termos u_{ik}^{PT} e u_{jk}^{ST} representam o efeito das mudanças temporais nas distribuições ocupacionais. Quando empregados simultaneamente, esses coeficientes controlam os efeitos de variações na mobilidade estrutural ao longo do tempo. Portanto, um modelo que inclua apenas os cinco termos descritos até agora dá conta da chamada mobilidade estrutural e de sua variação entre coortes.

O parâmetro u_{ij}^{PS}, como antes, representa o efeito sobre a mobilidade total da interação pai-filho, controlados os efeitos da mobilidade estrutural e de sua variação. Representa, portanto, um padrão constante ou básico de mobilidade de circulação. O último termo da equação 3, u_{ijk}^{PST}, representa a variação entre coortes dos padrões de mobilidade de circulação.

Assim sendo, seguindo a sugestão de McRoberts e Selbee, [32] pode-se dizer que o modelo saturado especificado acima decompõe mobilidade total observada em três componentes básicos de interesse:

1) a mobilidade "estrutural" e sua variação no tempo
$(u + u_i^P + u_j^S + u_k^T + u_{ik}^{PT} + u_{jk}^{ST})$;

2) o padrão básico (constante) da interação pai-filho (u_{ij}^{PS});

3) a variação temporal no padrão de mobilidade de circulação (u_{ijk}^{PST}).

Como já foi dito, o modelo saturado (equação 3) não tem maior interesse, uma vez que, por ser completo, sempre oferecerá uma explicação perfeita ao padrão de mobilidade total observado. O que vai interessar é a possibilidade de um modelo mais parcimonioso reproduzir, com certo nível aceitável de precisão, a tabela de mobilidade observada. Nesse caso, dir-se-á que esse modelo mais parcimonioso é preferível àquele contendo mais parâmetros.

Consideremos um modelo em que o termo mais complexo tenha sido omitido, ou seja, no qual $u_{ijk}^{PST} = 0$. A equação se reduzirá então a

$$Log F_{ijk} = u + u_i^P + u_j^S + u_k^T + u_{ik}^{PT} + u_{jk}^{ST} + u_{ij}^{PS} \qquad (4)$$

O modelo expresso pela equação 4 representa uma hipótese nula de grande interesse substantivo. Admite que haja mudanças ao longo do tempo nas distribuições ocupacionais e no tamanho das coortes, mas que a associação entre pais e filhos é *constante* no tempo. Se as freqüências estimadas pelo modelo forem suficientemente próximas dos valores impiricamente observados, dir-se-á então que não existe variação entre coortes na interação pai-filho: o modelo de mobilidade de circulação constante no tempo é uma explicação adequada ao padrão de mobilidade observado.

Um outro modelo a ser examinado é aquele em que os dois últimos termos do modelo saturado foram omitidos, isto é, em que $u_{ij}^{PS} = u_{ijk}^{PST} = 0$. A equação ficará ainda mais reduzida:

$$Log F_{ijk} = u + u_i^P + u_j^S + u_k^T + u_{ik}^{PT} + u_{jk}^{ST} \qquad (5)$$

Esse modelo implica dizer que não só inexiste variação temporal na mobilidade de circulação como, dentro de cada coorte, as variaveis ocupação do pai e ocupação do filho são condicionalmente independentes. Em outras palavras, os padrões de mobilidade observados são basicamente explicáveis pelas mudanças estruturais e sua variação ao longo do tempo. Embora não seja um modelo teoricamente provável, uma vez que implica a hipótese de independência no processo de transmissão ocupacional entre pais e filhos em todos os momentos do tempo, o modelo expresso pela equação 5 é o único que ainda combina características de maior parcimônia com algum interesse teórico — nenhum modelo mais simples do que ele apresenta qualquer valor substantivo. Portanto, o modelo de mobilidade puramente estrutural servirá de *modelo de base*: ao se avaliar os ganhos explicativos oferecidos por modelos mais complexos, particularmente pelo modelo da equação 4, esse modelo será tomado como base de comparação.

O critério para julgar o ajustamento dos modelos será a usual estatística de qui-quadrado da razão de verossimilhança:

$$G^2 = 2\Sigma\, f_{ijk} (\text{Log}\, f_{ijk} - \text{Log}\, F_{ijk}),$$

onde f_{ijk} é a freqüência observada e F_{ijk}, a freqüência estimada pelo modelo. A estatística acima se distribui aproximadamente como uma distribuição χ^2, com os graus de liberdade apropriados. Ao se julgar a adequação de um modelo não se pretende, porém, colocar muita ênfase nos testes convencionais de significância. Duas são as razões para tal. Em prinmeiro lugar, o desenho da PNAD de 1973 não é o de uma amostra aleatória simples, constituindo, de fato, uma amostra de conglomerado em estratos múltiplos. Para o caso específico dessa pesquisa, não se conhece o efeito de desenho, mas Kish, [33] baseado na experiência do Survey Research Center da Universidade de Michigan, indica que, em pesquisas desse tipo, para a maioria das variáveis, o efeito de desenho está entre 1 e 2. Como se sabe, [34] efeito de desenho superiores à unidade afetam a estatística G^2 no sentido de gerar uma superestimativa do valor verdadeiro de qui-quadrado dada a hipótese nula. O procedimento usual é se ajustar para baixo o valor de G^2 por um fator que reflita a eficiência do desenho da pesquisa relativamente a uma amostra aleatória simples; mais precisamente, multiplicando-se a estimativa de qui-quadrado pelo inverso do fator de desenho. No caso do presente estudo, adotou-se um fator da ordem de 0,6, valor compatível com aqueles adotados em pesquisas semelhantes. [35] Observe-se, no entanto, que apesar das correções introduzidas para melhorar as estimativas feitas a partir de G^2, existem evidências [36] de que tais correções podem não eliminar completamente o efeito de se estar trabalhando com uma amostra complexa.

Além disso, como o exame da expressão de G^2 indica, essa estatística é uma função do tamanho da amostra, e, dessa forma, em pesquisas do porte da PNAD de 1973, corre-se um risco muito grande de rejeitar a hipótese nula em favor de alternativas na verdade triviais aos níveis de significância convencionais. Dada a fragilidade das estimativas via G^2, faz-se necessária a utilização de critérios *adicionais* que, utilizados simultaneamente, ajudarão a avaliar a qualidade do ajustamento dos modelos. Dois de tais critérios serão utilizados aqui: a) quando se dispõe de um modelo de base substantivamente razoável — caso da equação 5 acima — pode-se então julgar o quanto um modelo mais complexo melhora a explicação das freqüências observadas em relação àquela oferecida pelo modelo de base. Para esse fim foi proposta uma estatística baseada na razão entre as medidas de ajustamento dos dois modelos em análise: [37]

"$R^2 = 1 -$ (G^2 para modelo complexo/G^2 para modelo de base).

onde "R^2" representa, portanto, a proporção de melhoria ocasionada pela introdução de termos que tinham sido omitidos no modelo de base; b) outra medida de ajustamento é o índice de dissimilaridade $\triangle$ que, formalmente, representa a porcenatgem de casos que deveriam ser realocados em outras células para tornar perfeito o ajustamento do modelo. Em outras palavras, $\triangle$ nos indica a porcentagem de casos mal alocados pelo modelo em teste.

Tendências na mobilidade de circulação

A tabela 3 apresenta o sumário dos resultados das análises das diferenças entre coortes na mobilidade intergeracional. O Painel A desta tabela mostra os resultados das mudanças nas distribuições ocupacionais de pais e de filhos ao longo do tempo. O Modelo A1, cuja equação saturada correspondente é

$$\text{Log } f_{ik} = u + u_i^P + u_k^T + u_{ik}^{PT} ,\qquad (6)$$

tem como hipótese nula que a ocupação paterna não varia por coorte, isto é, $H_o: u_{ik}^{PT} = 0$. O valor obtido para a estatística de ajustamento G^2, na ordem de 733,9 com 90 graus de liberdade, indica a rejeição dessa hipótese nula. Da mesma forma, o Modelo A2, cuja equação saturada correspondente é semelhante à do modelo anterior, também tem como hipótese nula a constância temporal da distribuição ocupacional do filho ($H_o: u_{jk}^{ST} = 0$). O valor obtido de G^2, na ordem de 1146,6 com 90 graus de liberdade, também indica a rejeição da hipótese nula. Assim, as mudanças temporais nas distribuições ocupacionais são estatiscamente significantes a qualquer nível convencional.

O Modelo B1 é o modelo de base, especificado pela equação 5. Dado que ele implica a hipótese de independência entre as ocupações de pais e filhos, confirma-se a suspeita de que não se ajusta bem aos dados, apresentando uma G^2 de 5475,4 cor 801 graus de liberdade e uma proporção de casos mal alocados da ordem de 31,2%. Rejeita-se, pois, a qualquer nível convencional de significância, o mo-

TABELA 3

MODELOS DE TESTE DAS TENDÊNCIAS NA MOBILIDADE INTERGERACIONAL: BRASIL — HOMENS DE 20 A 64 ANOS — 1973

Modelo *	g.ℓ	G^2	α	"R^2"	Δ
A. Margens**					
1. P,T	90	733,9	0,000	—	10,1
2. S,T	90	1146,6	0,000	—	11,1
B. Todos os homens					
1. PT,ST	801	5475,4	0,000	0,000	31,2
2. PT,SP,PS	666	407,5	>0,500	0,926	4,8
C. Móveis					
1. PT,ST	669	1633,4	0,000	0,702	10,6
2. PT,ST,PS	579	344,6	>0,500	0,937	3,9
D. Não-móveis					
1. B_2 vs. C_2	87	62,9	>0,500	0,989	0,9

* P = ocupação do pai; S = primeira ocupação do filho; T = coorte.
** Os Modelos A1 e A2 estão baseados nas tabelas *bivariadas* P e por T
e S por T, respectivamente.

delo em que os marginais apresentam variação temporal mas não existe associação entre a ocupação do pai e a do filho.

A estimação do modelo especificado pela equação 4 conduz aos resultados apresentados na linha B2. Trata-se, como foi visto, do modelo de interação pai-filho constante no tempo. Observa-se um valor de G^2 = 407,5, o qual, com 666 graus de liberdade, está bem abaixo de seu valor esperado. [38] Além disso, o modelo de interação pai-filho constante dá conta de 92,6% da variação no modelo de base e consegue não alocar corretamente apenas 4,8% dos casos. Tomando-se todos esses indicadores em conjunto, não só G^2 aconselha a não rejeição da hipótese nula, como as demais estatísticas apontam no sentido de que o modelo que postula a invariância temporal na associação entre as posições ocupacionais de pais e filhos se ajusta muito bem aos dados. Em outras palavras, o padrão que se pode observar nos dados sobre mobilidade ocupacional no Brasil oferece uma indicação muito forte da inexistência de qualquer mudança significativa na mobilidade de circulação ao longo do tempo.

A mobilidade intergeracional no Brasil, como de resto em qualquer outra sociedade para a qual se dispõe de informações, é caracterizada por uma ampla predominância de imobilidade ocupacional. [39] A conseqüência prática desse fato é que o grande peso exercido pela diagonal principal das tabelas de mobilidade pode disfarçar mudanças relevantes nas áreas fora dessa diagonal, ou seja, nos padrões de mobilidade propriamente dita. Por essa razão, os Painéis C e D da Tabela 3 apresentam modelos que capturam mudanças específicas nos padrões seja da mobilidade ocupacional, seja da herança ocupacional. [40] Os Modelos 1 e 2 do Painel C consideram apenas a posição da tabela de mobilidade correspondente aos indivíduos que experimentaram alguma mobilidade casos fora da diagonal). O Modelo 1 desse painel testa a hipótese da independência entre as variáveis ocupação do pai e ocupação do filho — equivalente ao Modelo B1 — constituindo o chamado modelo de "mobilidade quase perfeita". [41] A hipótese subjacente a tal modelo é a de que, uma vez que o indivíduo "escape" do estrato de origem, o seu destino ocupacional é perfeitamente aleatório, não dependendo mais da ocupação paterna. Colocando nos termos em que se discutiram os modelos propostos, o Modelo C1 especifica que as distribuições marginais são variáveis no tempo mas que não existe interação pai-filho fora da diagonal principal. Examinando os resultados obtidos para esse modelo, fica claro que ele deve ser rejeitado a qualquer nível convencional de significância, embora as diagonais principais possam de fato dar conta de cerca de 70% da associação nas tabelas observe-se o valor de "R^2") e reduzam a porcentagem de casos mal alocados a 10,6%. Apesar de tal modelo representar um considerável avanço sobre o modelo de base, sua rejeição implica dizer que o destino ocupacional do filho continua associado à ocupação paterna, mesmo quando ele não permanece no mesmo estrato ocupacional que seu pai.

O Modelo C2 testa a hipótese de interações pai-filho constantes no tempo, fixadas as freqüências observadas na diagonal principal. Ou seja, testa a hipótese de que os triângulos de mobilidade acima e abaixo das diagonais principais — os padrões de mobilidade ocupacional, mas não os de herança ocupacional — não variam ao longo das coortes. [42] Aqui, novamente, o valor de G^2 está muito abaixo de sua expectância, o que indica a impossibilidade de se rejeitar a hipótese nula. Esse indicador, aliado ao fato de "R^2" apresentar um valor elevado e da proporção de casos mal alocados ser bastante reduzida, conduz à conclusão de que o modelo de padrões de mobilidade ocupacional estáveis no tempo se ajusta bastante bem aos dados. Contrastando o Modelo C2 com o Modelo C1, obtém-se um valor de $G^2 = 1288,8$ com 90 graus de liberdade, do que se conclui que existem interações significantes fora da diagonal, reforçando a conclusão anterior de que o destino ocupacional dos indivíduos é afetado pela posição ocupacional de seus pais, mesmo quando não permanecem no mesmo estrato. Esse efeito é, portanto, não só significante quanto estável no tempo.

Na linha D1 da Tabela 3 compara-se os Modelos B2 e C2. Como se pode deduzir das discussões desses modelos, a diferença entre eles reside no fato de que no último permite-se que a herança ocupacional flutue no tempo, a diagonal principal assumindo forçadamente os valores observados. Assim sendo, o contraste na linha D1 testa a estabilidade temporal da herança ocupacional ou, mais especificamente, testa a hipótese nula de herança constante. O valor de G^2 abaixo de sua expectância recomenda a não-rejeição da hipótese nula, decisão que é reforçada pelos valores de "R^2" e de $\triangle$. A conclusão que se segue é, naturalmente, a de que também não ocorreram mudanças nos padrões de herança ocupacional ao longo do tempo.

A fim de explorar com mais profundidade a estabilidade temporal da mobilidade de circulação, decidimos introduzir na análise uma variável expressiva do nível educacional do indivíduo. Como nos informa a literatura sobre o processo de realização de *status,* a educação é uma variável interveniente fundamental, mediando os efeitos da origem social sobre o destino ocupacional dos indivíduos. [43] O fato do efeito da ocupação paterna sobre a ocupação do filho não ser basicamente direto abre a possibilidade da estabilidade temporal observada nesse efeito ser oriunda de duas tendências contraditórias que se cancelem no tempo. Por exemplo, ao mesmo tempo em que haja uma crescente "democratização" no acesso e na progressão escolar, pode ocorrer um paulatino enrijecimento dos requisitos educacionais na alocação de posições na estrutura ocupacional. Em outras palavras, é possível que as interações pai-filho no que diz respeito à relação entre ocupação do pai e educação venham se enfraquecendo ao longo das coortes ao mesmo tempo em que as interações correspondentes na relação entre educação e primeira ocupação venham se fortalecendo. O resultado dessas tendências contraditórias poderia ser

111

uma falsa estabilidade temporal na mobilidade de circulação. A Tabela 4 apresenta resultados referentes ao teste dessas possibilidades. Para tal, gerou-se dois conjuntos de tabelas, um composto pela tabela educação do filho por ocupação do pai e coorte, e o outro composto pela tabela primeira ocupação do filho por sua educação e coorte. Para cada tabela trivariada aplicou-se procedimentos iguais àqueles desenvolvidos no Painel B da Tabela 3, a fim de testar a estabilidade temporal da mobilidade de circulação.

O modelo apresentado na linha A1 da Tabela 4 testa a hipótese de que a ocupação do pai varia por coorte, de que a educação do filho também varia por coorte, mas supõe que não há interação pai-filho — a ocupação do pai não afeta a realização escolar do filho. Não é de surpreender que tal modelo não se ajuste bem aos dados. Não só o valor de G^2 está muito acima de sua expectância como a proporção de casos mal alocados pelo modelo chega ao nível de 34,1%. Tomando-se esse modelo como base, no entanto, pode-se proceder ao teste da estabilidade temporal da relação entre as variáveis em pauta, o que é feito na linha B2. Aqui, a hipótese nula é a de interação pai-filho no processo de escolarização constante no tempo. O valor de G^2 bem abaixo de sua expectância, a magnitude de "R^2" em torno de 85,5% e a proporção de casos mal alocados pelo modelo se reduzindo a 8,6% recomendam claramente a não rejeição desse modelo. A conclusão, portanto, é a de que o efeito da ocupação paterna sobre as oportunidades de escolaridade do indivíduo é também temporalmente estável. [44]

Evidência semelhante é estabelecida no Painel B. Nesse caso, a tabela em teste diz respeito à relação entre educação e primeira ocupação. Mais uma vez, o Modelo B1 — modelo de base — testa a hipótese de mudança temporal nos marginais da tabela e de não interação pai-filho. O ajustamento do modelo parece ser ainda pior do que aquele obtido na linha A1. Com quase 49% dos casos mal alocados pelo modelo. No caso do Modelo B2 — testando a invariança temporal da interação educação-primeira ocupação — o valor do G^2 indica uma probabilidade elevada de ele ter sido observado sendo a hipótese nula verdadeira. Além disso, os outros indicadores da qualidade do ajustamento também recomendam claramente a não rejeição da hipótese nula, levando à conclusão de que as oportunidades relativas desfrutadas por indivíduos nos distintos níveis educacionais também se mantiveram extraordinariamente estáveis no passar das sucessivas coortes.

TABELA 4

MODELOS DE TESTE DE TENDÊNCIAS NAS RELAÇÕES EDUCAÇÃO
POR OCUPAÇÃO DO PAI E PRIMEIRA OCUPAÇÃO POR EDUCAÇÃO:
BRASIL — HOMENS DE 20 A 24 ANOS — 1973

Modelo *	g.ℓ	G^2	α	"R^2"	Δ
A. A Educação por ocupação do pai					
1.PT,ET	765	3055,0	0,000	0,000	34,1
2.PT,ET,PE	693	442,4	>0,500	0,855	8,6
B. Primeira ocupação por educação					
1.ET,ST	708	4909,3	0,000	0,000	48,8
2.ET,ST,ES	612	415,4	>0,500	0,915	8,2

P = ocupação do pai; S = primeira ocupação do filho; E = educação
do filho; T = coorte.

Conclusões

Uma das mais resistentes hipóteses da literatura sociológica é
a idéia de que, de algum modo, o desenvolvimento econômico traz
consigo importantes melhorias na esfera distributiva. Mais especificamente, os teóricos da chamada "tese do industrialismo" sustentam
que à secundarização da atividade econômica está associada uma
democratização das oportunidades de mobilidade social. Mesmo a
chamada *Revisão FJH,* que demonstrou a invariância temporal da
mobilidade de circulação entre os atuais países economicamente desenvolvidos, ainda admite um efeito da industrialização sobre a fluidez social. A diferença é que, para os adeptos da *Revisão FJH,* esse
efeito cessaria uma vez que um certo nível de desenvolvimento industrial fosse atingido.

A revisão da literatura mostrou que a evidência empírica apresenta uma certa ambigüidade. Propôs-se, então, a análise das tendências temporais na mobilidade de circulação num país como o
Brasil, que experimentou um processo de desenvolvimento industrial

bastante acelerado, particularmente nos últimos 30 anos. Acreditamos que a experiência brasileira configura um experimento crítico para a tese que vincula um crescimento na fluidez social ao processo de desenvolvimento econômico.

O exame da evidência brasileira levou à conclusão de que não existe variação entre coortes no que diz respeito à associação das características ocupacionais de pais e filhos quando se controla os efeitos das mudanças nas distribuições marginais. Em outras palavras, a experiência brasileira indica uma clara invariância temporal na chamada mobilidade de circulação. Além disso, os componentes dessa mobilidade de circulação também são invariantes: a) não existe variação temporal no padrão de *mobilidade* ocupacional intergeracional, isto é, no efeito da origem social sobre a realização ocupacional dos indivíduos socialmente móveis; b) não existe variação temporal no padrão de *herança* ocupacional intergeracional.

Explorando mais a fundo a estabilidade temporal da mobilidade de circulação brasileira, mostrou-se que tanto o efeito da origem social (ocupação paterna) sobre as oportunidades de escolarização quanto o efeito da escolarização sobre as condições de entrada no mercado de trabalho também parecem ser extremamente estáveis no tempo. A evidência apresentada aponta, portanto, no sentido de que não existe um claro benefício na esfera da distribuição das oportunidades relativas de vida para os diversos estratos sociais que decorra *automaticamente* do crescimento econômico. De fato, estas parecem ser fundamentalmente independentes das mudanças na esfera econômica. O desenvolvimento, embora facilite a ascensão social pela criação de oportunidades através das mudanças estruturais a ele associadas, definitivamente não constitui "o melhor" ou sequer "um remédio" para a construção de uma genuína sociedade democrática.

4

Desigualdades raciais no Brasil

Introdução

EM GRANDE PARTE, a auto-imagem que o Brasil criou de seu sistema de relações raciais é o produto da comparação com outras sociedades multiraciais. Os Estados Unidos, como caso conveniente e visível internacionalmente, adquirem particular importância neste sentido. O sistema Jim Crow de segregação e a segregação de fato, os linchamentos, o gueto isolado e a rebelião urbana são fatos alheios à história do Brasil republicano e têm alimentado um narcisismo das "grandes" diferenças em matéria de contatos inter-raciais.

Se o ideal do embranquecimento serviu para estabelecer um compromisso entre as doutrinas racistas do fim do século passado com a realidade sócio-racial do país, a "democracia racial" como parte da auto-imagem nacional "...pode ser vista como um meio cultural dominante cujo principal efeito tem sido o de manter as diferenças inter-raciais inteiramente fora da arena política, como conflito apenas *latente*".[1] O mito da "democracia racial" é, na prática, sustentáculo de seu oposto. Junto com as idéias correlatas de ausência de preconceito e discriminação racial, pode ser encarado como ideologicamente vinculado a uma representação mais ampla sobre o caráter nacional brasileiro, que inclui noções tais como as do "homem cordial", "povo pacífico" e a tendência à conciliação e ao compromisso. A imagem de harmonia étnica e racial, como parte de uma concepção ideológica mais geral da natureza humana do "brasileiro", associa-se então a um mecanismo de legitimação destinado a absorver tensões, bem como a antecipar e controlar certas áreas de conflito social.[2]

Este capítulo, de autoria de Carlos A. Hasenbalg, foi originalmente publicado em *DADOS*, Rio de Janeiro, n. 14, 1977, pp. 7 a 33.

Parte da literatura acadêmica sobre o tema não está isenta da responsabilidade de veicular sob uma forma especial a versão oficial das relações raciais.

Trata-se do intento de reduzir a questão racial a um problema de classe ou estratificação social, no qual o preconceito contra o negro é esvaziado de implicações raciais e atribuído à posição sócio--econômica inferior que ocupa. Esta abordagem não tem conseguido dar conta da estrutura de classes, à qual concede primazia, nem explicar por que a população de cor se autoperpetua em posições sociais inferiores.

Em certo sentido, o Brasil criou o melhor dos mundos. Ao mesmo tempo que mantém a estrutura de privilégio branco e subordinação da população de cor, evita que a raça se constitua em princípio de identidade coletiva e ação política. A eficácia da ideologia racial imperante se traduz no esvaziamento do conflito racial aberto e da articulação política da população de cor, fazendo com que os componentes racistas do sistema permaneçam incontestados, sem necessidade de apelo a um alto grau de coerção.

De modo geral, tanto os estudos de caso feitos no Brasil, quase sempre de âmbito local, como a literatura comparada mais recente, preocupada em assinalar e explicar as diferenças do Brasil com outras sociedades — geralmente em termos das diferenças nos sistemas de cálculo de identidade racial — não têm destacado suficientemente alguns aspectos fundamentais das relações raciais pós-escravistas no país.

O primeiro aspecto a enfatizar é a semelhança do Brasil com outras sociedades multirraciais, em termos da operação de um princípio racista de seleção segundo o qual a pertinência a um grupo racial prevalece sobre a competição na alocação de posições sociais. [3] O segundo desses pontos é dado pela grande estabilidade do sistema brasileiro de relações raciais, sobretudo no que se refere aos diferenciais de poder institucionalizado entre os dois grupos raciais e à manutenção de acentuadas desigualdades sociais entre a população branca e a população de cor. [4]

Neste trabalho abordaremos algumas questões relativas a um aspecto delimitado do sistema de relações raciais brasileiro: as desigualdades raciais no período posterior à abolição. Em primeiro lugar, serão tratadas algumas implicações teóricas do problema, para desenvolver imediatamente certas considerações sobre as origens, fatores condicionantes e padrões regionais de configuração dessas desigualdades. No final do trabalho, serão feitas algumas indicações sobre os mecanismos de reprodução das desigualdades raciais.

O ponto teórico de maior importância, em conexão com as desigualdades raciais contemporâneas, faz referência a duas questões intimamente vinculadas: de um lado, as relações problemáticas entre escravidão e relações raciais pós-escravistas; de outro, entre racismo e industrialização.

Com respeito à primeira relação, a bibliografia disponível nos mostra as posições mais variadas possíveis, que vão de autores como H. Hoetink, que nega que a relação senhor-escravo determina as relações raciais contemporâneas e posteriores à escravidão, afirmando inclusive serem essas relações moldadas fora da escravidão, até aqueles que estabelecem uma relação causal direta entre ambos os fenômenos.

Interessa-nos discutir aqui o último tipo de enfoque, que tende a centrar no legado da escravidão a explicação das relações raciais contemporâneas. Tal perspectiva, que se vincula à teoria da assincronia da mudança social e explica configurações sociais do presente como resultado de *arcaísmos* e *sobrevivências* do passado, constitui um dos pressupostos da influente e tão valiosa análise de Florestan Fernandes sobre a integração do negro à sociedade de classes. No mais recente trabalho deste Autor, a teoria dos arcaísmos aparece com toda clareza:

> "Assim, no fundo do problema racial brasileiro encontra-se a persistência de um modelo assimétrico de relações de raça, construído para regular o contato e a ordenação social entre "senhor", "escravo" e "liberto". ... A persistência dos dois elementos [preconceito e discriminação racial] após a desintegração da escravidão explica-se pelo fato de não haver o sistema de classes destruído todas as estruturas do *ancien régime,* principalmente as estruturas das relações de raça".[5]

Mais adiante, ao analisar o preconceito e a discriminação raciais como herança do passado, agrega:

> " ... a persistência de ambos constitui um fenômeno de demora cultural: atitudes, comportamentos e valores do regime social anterior são transferidos e mantidos na esfera de relações raciais, em situações histórico-sociais em que eles entram em choque aberto com os fundamentos econômicos, jurídicos e morais da ordem social vigente". [6]

O conteúdo "tradicional" e "arcaico" das relações raciais, manifesto na presença de preconceito e discriminação, é visto como legado da escravidão e anomalia da ordem social competitiva emergente. [7] Por implicação, o amadurecimento da sociedade de classes levaria à eliminação da discriminação e à incorporação final do negro na sociedade de classes. Este diagnóstico, de fato, é formulado ao aclarar-se que "...se trata de uma tendência configurada e constante, da qual se pode presumir que, mantidas certas condições histórico-sociais e econômicas, irá favorecer definidamente a integração progressiva do negro e do mulato a situações de classes típicas". [8]

Esta atitude de otimismo a longo prazo contrasta com os fatos da realidade brasileira e de outras sociedades racialmente segmentadas e choca-se com a penetrante análise política de Florestan Fernandes sobre os efeitos da ideologia racial brasileira na inibição de mudanças no sistema de relações raciais. Por outro lado, no tipo de explicação baseada nos atrasos e sobrevivências, o conceito de atraso pode explicar a origem de uma subestrutura e descrever a filiação da mesma, mas não explica sua permanência e operação na nova estrutura. A sociedade de classes transforma a dominação racial, reelaborando o conteúdo da raça como dimensão adscritiva dentro de um sistema de estratificação baseado em critérios adquiridos. [9]

A argumentação de Fernando H. Cardoso sobre a redefinição do preconceito racial por ocasião da abolição ilustra claramente o processo de reelaboração de uma sobrevivência da ordem escravocrata. Não obstante o preconceito racial ter sido um componente organizatório da sociedade escravista, o impedimento legal da condição de escravo e a violência senhorial eram suficientes na ordem estamental para garantir a espoliação do negro. Na sociedade de classes, ao se tornarem todos iguais perante a lei, foi preciso desenvolver mecanismos sociais que assegurassem, em nome de uma desigualdade natural, a acomodação dos negros ao sistema de posições e vantagens assimétricas.

"... depois da Abolição o preconceito foi redefinido socialmente num duplo sentido: não só formalmente, cor e condição social não correspondiam mais à mesma irremissível situação de casta dos escravos, como o negro livre passou a frustrar mais generalizadamente as expectativas dos brancos e, mais tarde, a ameaçar a exclusividade das posições sociais por eles mantidas. ·

A partir desse momento, começa realmente o "problema negro": o preconceito muda de conteúdo significativo e de funções sociais". [10]

Desta forma:

"O mecanismo de atribuição de qualidades negativas aos negros fica evidente. Os brancos isolavam certos aspectos do comportamento dos negros das condições que os produziram, passando a encará-los como atributos da "natureza humana" dos negros".[11]

A despeito do conteúdo irracional das crenças em que se sustenta, a discriminação racial pode ser "racional" com respeito à sua função: a disponibilidade de mão-de-obra barata e abundante e a continuidade da dominação racial.

Ao se passar dos componentes subjetivos para os componentes objetivos do racismo, a ênfase estará nas suas funções como mecanismo de dominação, na estratificação racial e na emergência de privilégio racial. O racismo pode ser definido como o conjunto de práticas do grupo branco dominante, dirigidas à preservação do privilégio de que usufrui por meio da exploração e controle do grupo submetido. "A presença de privilégio sugere que, através de processos econômicos, culturais, políticos e psicológicos, os brancos puderam progredir, historicamente, a expensas de e por causa da presença do negro". [12]

Mais ainda: uma vez que a estrutura de exclusão e estratificação racial tem sido estabelecida, "... a manutenção do privilégio racial requer que seus beneficiários atuem de forma a perpetuá-lo e mantê-lo". [13]

A idéia de que preconceito e discriminação constituem somente um legado do passado tem a sua contrapartida nos enfoques teóricos que postulam uma incompatibilidade entre industrialismo e racismo. Segundo esta linha de raciocínio, à medida que as sociedades industriais se desenvolvem o princípio do *achievement* e critérios adquiridos tendem cada vez mais a governar o mecanismo de alocação de posições e formação de grupos sociais. Em conseqüência, critérios como a raça e a etnia não apenas seriam alheios à lógica da industrialização — estando, portanto, condenados a deixar de ser socialmente relevantes — como a continuidade de sua operação tenderia a gerar uma série de obstáculos à modernização.

Vários autores têm questionado este tipo de colocação. Segundo a evidência empírica disponível, argumenta H. Blumer, uma ordem racial estabelecida anteriormente à industrialização pode ser retomada e, se necessário, reforçada. "O quadro apresentado em uma sociedade racialmente ordenada é que os imperativos industriais acomodam-se ao molde racial e continuam a operar efetivamente dentro dele". [14]

Com referência aos Estados Unidos, R. Blauner denuncia aqueles que identificam o racismo com preconceito, confortando-se com suas próprias atitudes favoráveis às minorias raciais:

"O erro neste ponto de vista é revelado pelo fato de que tais pessoas de boa vontade ajudam a manter o racismo da sociedade americana e, em alguns casos, até se beneficiam com ele. Isto ocorre porque o racismo está institucionalizado. Os processos que mantêm a dominação — o controle dos brancos sobre os não brancos — estão incorporados nas principais instituições sociais. Estas instituições excluem ou restringem a participação de grupos raciais por meio de procedimentos que tornaram-se convencionais, parte do sistema burocrático de regras e regulamentos. Assim, há pouca necessidade do preconceito como força motivadora". [15]

Analisando o caso extremo da África do Sul, H. Adam conclui que até agora o *apartheid* não tem sido um obstáculo ao atual *boom* econômico; senão, pelo contrário, um de seus pré-requisitos importantes. "O crescimento econômico rápido e um alto grau de ineficiência — através do desperdício de talento e várias outras medidas derivadas da ideologia racial — não são necessariamente excludentes". [16]

Em definitivo, a formação histórica de estruturas de dominação racial emerge de mais de quatro séculos de práticas coloniais. O colonialismo — tal como se exprime na conquista, subordinação e eventual extermínio de uma população — é um fenômeno político originariamente determinado por motivos econômicos. Sem dúvida, o racismo contemporâneo tem seus correlatos em formas de exploração econômica compatíveis com os padrões prevalescentes de desenvolvimento capitalista. Porém, uma vez que as estruturas de subordinação racial estão estabelecidas, o racismo e a dominação racial adquirem uma autonomia própria ao nível da cultura e da política. Esta mediação cultural e política, que se cristaliza em formas institucionalizadas de desigualdade racial, está expressada principalmente na exclusão total ou parcial das minorias raciais do universalismo burguês. Esta exclusão baseia-se na humanidade supostamente incompleta e na idéia de um "lugar apropriado" para as pessoas de cor.

Escravidão e desigualdades raciais

Em 1950 a taxa de alfabetização das pessoas brancas de cinco anos e mais era de 53%, enquanto a das pessoas de cor chegava apenas a 26%. No mesmo ano, 477 de cada dez mil pessoas brancas de dez anos ou mais de idade tinham alcançado um diploma de nível médio ou superior. A proporção correspondente era de 48 para o grupo de pardos e de 17 para as pessoas pretas. No referente à estrutura de emprego, 79,5% da população de cor economicamente ativa se concentrava nos setores agrícolas, de indústrias extrativas e na prestação de serviços, sendo de 65 a porcentagem correspondente à população branca. No caso das mulheres economicamente ativas, a desproporção é mais acentuada ainda. Enquanto 83% das mulheres de cor trabalhavam nesses três setores de atividade, só 57% das mulheres brancas ali se encontravam empregadas. [17]

Numa possível explicação histórica, essas desigualdades entre os grupos raciais e a concentração de negros e mulatos na base do sistema de estratificação poderiam ser atribuídas não tanto à operação de princípios racistas de seleção, mas às diferenças no ponto de partida. A abolição do regime servil, em 1888, deixou a massa de ex-escravos nas posições mais baixas da hierarquia sócio-econômica. A literatura que analisa o processo de abolição é unânime em assinalar o desajuste social e econômico dessa população, destacando o despreparo do ex-escravo para assumir os papéis de homem livre, principalmente na esfera do trabalho. [18] Assim, as desigualdades raciais assinaladas seriam o resultado de um processo inacabado de mobilidade social por parte do grupo negro e mulato, saído da condição servil há algumas décadas atrás.

Sem embargo, a idéia do escravo-feito-homem-livre em 1888 como modelo explicativo da situação social do negro e do mulato em geral depois da abolição *não leva em conta que uma parcela majoritária da população de cor tinha uma experiência prévia na condição de livre.* Efetivamente, no momento da abolição, a população escrava constituía uma parte minoritária do total da população de cor. Em 1872, data do primeiro censo demográfico nacional, 74% da população de cor era livre; esta proporção eleva-se aproximadamente a 90% em 1887. É bem verdade que a população escrava, que vinha diminuindo rapidamente desde 1850, acelera seu declínio numérico na década de 1880: passando de 1.262.801, em 1882, para 723.419 em 1887. Assim, aos escravos liberados em 1888 haveria que se acrescentar aqueles que obtiveram sua liberdade nos anos imediatamente anteriores à abolição. Mas a ênfase nos problemas da integração do ex-escravo às novas condições não deve levar a perder de vista a população de cor livre, que tinha crescido à margem da economia escravista dominante. Este setor populacional, de significativa gravitação numérica na sociedade colonial, cresceu rapidamente ao longo do século XIX. Uma das mais pronunciadas transformações na composição populacional do país no século passado foi causada pelo rápido crescimento da população livre, que quintuplica entre o início do século e 1872. Por sua vez, o segmento que apresentou o aumento mais notável é o da população de cor livre, cujo crescimento no mesmo período é três vezes mais rápido que o da população total. [19] Desta forma, a explicação da situação social do negro e do mulato depois da abolição em função do trânsito abrupto da condição de escravo para a de homem livre, tende a ocultar a acumulação de desvantagens sociais no grupo de cor livre durante a vigência do regime escravista e a continuação de sua subordinação social depois de 1888. Referindo-se a estas circunstâncias, T. Skidmore nos diz:

"No momento da abolição a economia do Brasil era ainda predominantemente agrária. Seu sistema paternalista de relações sociais prevalecia até nas áreas urbanas. Este sistema de estratificação social concedia aos proprietários de terras (...) o virtual monopólio do poder econômico, social e político. Os estratos baixos da população, incluindo os brancos e a maioria dos libertos, estavam bem acostumados à submissão e à deferência. Esta hierarquia, na qual a classificação social tinha alta correlação com a cor, desenvolvera-se como parte integrante da economia escravista colonial. Mas, ao tempo da abolição *já não dependia* da escravidão para sua continuidade".[20]

Há uma segunda objeção à explicação das desigualdades raciais pelas diferenças do ponto de partida e em termos do processo inacabado de mobilidade social da população de cor: esta explicação não incorpora a diferença na experiência histórica entre este grupo e a grande maioria dos imigrantes europeus chegados ao país entre 1880 e 1930. O imigrante europeu também se integra à sociedade que o recebe a partir da base da hierarquia sócio-econômica; porém sua incorporação se fez fundamentalmente por meio do sistema de trabalho assalariado nos setores econômicos de maior expansão. Por isso, a posição inicial do imigrante, se bem que pouco favorável, foi estratégica para monopolizar as oportunidades de mobilidade social geradas pela abertura de posições no sistema econômico.

Escravidão e geografia racial

Um dos determinantes históricos mais importantes das desigualdades raciais no período pós-escravista relaciona-se com a forma como o funcionamento do sistema de trabalho escravo condicionou a distribuição geográfica da população de cor. Apesar de a escravidão ter sido uma instituição de âmbito nacional, a importância do trabalho escravo variou grandemente de região para região. Os sucessivos ciclos econômicos regionais explicam a localização espaço--temporal da população escrava. Ao mesmo tempo, é no mundo da *plantation* escravista que se iniciam os processos concomitantes de miscigenação racial e geração de uma camada de população de cor livre, formada predominantemente de mestiços.

Ao longo de todo o período colonial e imperial, a população escrava do Brasil foi submetida a um processo forçado de migrações internas, condicionado pelas alternativas regionais de demanda por mão-de-obra servil. A fase ascendente da mineração no século XVIII e o período posterior à cessação do tráfico internacional de escravos em 1850 ilustram dois momentos de grandes deslocamentos geográficos da população cativa. Pelo contrário, a classe de mulatos e negros livres tendeu a ficar geograficamente concentrada nas regiões de produção agrícola ou mineira, revertendo para atividades de subsistência ou situações de quase completo desarraigamento econômico e social nas fases de declínio ou estagnação da economia de exportação.

O ano de 1850 pode ser considerado como a data aproximada em que a região Sudeste inicia uma trajetória divergente do resto do país. [21] É então que os estados desta região começam sua carreira econômica ascencional, associada primeiro à expansão da economia do café e, a partir dos últimos anos do século, à industrialização dos estados do Rio Grande do Sul, São Paulo e do antigo Distrito Federal.

A utilização em larga escala do trabalho escravo nesta região, principalmente na lavoura cafeeira, é um fenômeno do século XIX. A posição economicamente marginal do Sudeste durante todo o período colonial fez com que o número de escravos africanos ali introduzidos fosse muito limitado. Praticamente até o fim do século XVIII, o único centro escravista de alguma importância dentro da região foi a cidade do Rio de Janeiro e sua periferia rural. Este fato vai manifestar-se tanto na composição racial do Sudeste e do resto do país como na distribuição regional dos dois grupos raciais. A introdução tardia do sistema escravista no Sudeste não só resultou num peso proporcional menor do segmento formado pelo africano e seus descendentes dentro da população total da região, como também limitou o desenvolvimento dos processos seculares de mestiçagem racial e formação de uma população de cor livre.

QUADRO I

COMPOSIÇÃO DA POPULAÇÃO SEGUNDO GRUPOS DE COR
POR REGIÕES: BRASIL 1890

	Sudeste		Resto do país		Brasil	
	N.	%	N.	%	N.	%
Brancos	2.607.331	62	3.694.867	37	6.302.198	44
Pardos	1.024.313	24	4.909.978	48	5.934.291	41
Pretos	583.359	14	1.514.067	15	2.097.426	15
Total	4.215.003	100	10.118.012	100	14.333.915	100

FONTE: Censo Demográfico de 1890.

Os processos acima mencionados refletem-se na diferente composição racial entre a população do Sudeste e a do resto do país. Em primeiro lugar, nota-se a diferente relação numérica entre o grupo de brancos e o de pessoas de cor. Enquanto os brancos constituem a maioria da população do Sudeste — tendência que se vai acentuar aceleradamente no presente século — o inverso ocorre no resto do país. Em segundo lugar, a própria composição da população de cor varia nas duas regiões, tendo os pardos, no resto do país, um peso proporcional maior do que no Sudeste. Por outro lado, como resultado da dinâmica de mais de três séculos de escravidão, no momento da abolição do regime servil, a população afro-brasileira ficou geograficamente localizada na periferia da região onde se estavam processando as transformações mais rápidas, orientadas à constituição de uma sociedade urbana e industrial. É o que se constata no quadro que segue.

QUADRO II

CONCENTRAÇÃO PROPORCIONAL DA POPULAÇÃO POR REGIÕES; SEGUNDO A COR. BRASIL 1872-1950

	1872		1890		1940		1950	
	Brancos	Cor	Brancos	Cor	Brancos	Cor	Brancos	Cor
Sudeste	35	21	41	20	52	18	56	18
Resto do país	65	79	59	80	48	82	44	82
Total	100	100	100	100	100	100	100	100

FONTE: Censo Demográfico de 1950.

A distribuição regional dos grupos raciais, em 1872 e 1890, é particularmente relevante, pois revela o efeito acumulado do sistema escravista no condicionamento das desvantagens da população de cor em matéria de localização espacial, precisamente no momento em que se inicia um processo de desenvolvimento econômico baseado em relações sociais pós-escravistas.

As distribuições de 1940 e 1950 permitem constatar como a dinâmica demográfica posterior à abolição tendeu a reforçar o padrão já constituído de localização geográfica dos dois segmentos raciais da população. Ao longo de todo o período compreendido entre 1872 e 1950, observa-se uma ligeira tendência ao aumento da concentração da população de cor no resto do país ou Brasil subdesenvolvido, junto com a tendência oposta e mais acelerada ao incremento da população branca no Sudeste. A tendência à polarização geográfica dos dois grupos raciais — que, junto com a operação de mecanismos de discriminação, está na base da estrutura de desigualdades raciais existentes — relaciona-se às características dos movimentos de migração internacional e migração interna que ocorrem desde o final do século passado. Por sua vez, tais processos demográficos, longe de terem um caráter puramente espontâneo, foram condicionados em boa medida por políticas públicas específicas. A este respeito, assume particular importância a promoção oficial da imigração européia, destinada a enfrentar o *deficit* de mão-de-obra do Sudeste, em especial de São Paulo.

Conseqüências sociais da abolição

A abolição da escravidão, como marco divisor do desenvolvimento histórico do Brasil, é objeto de uma abundante bibliografia. Do ponto de vista de suas causas, além das modificações no panorama internacional e das pressões externas sobre o Brasil, tem-se concedido ênfase particular às transformações sócio-econômicas ocorridas no país na segunda parte do século passado, das quais o movimento abolicionista seria uma das manifestações. Em relação às conseqüências da abolição, tem-se enfatizado a generalização do trabalho livre e suas implicações para o processo de desenvolvimento posterior. Salvo honrosas exceções, a historiografia brasileira reflete o processo real, em termos do desinteresse pelo ex-escravo e sua adaptação à situação decorrente da eliminação do regime escravocrata. [22] Destacaremos aqui algumas circunstâncias históricas que determinam as diferentes conseqüências sociais da abolição para o contingente de escravos e para o de negros e mulatos livres nas duas regiões em que o país foi dividido para os fins deste trabalho.

Uma primeira diferença regional relaciona-se com a existência multissecular da figura da pessoa de cor livre, fora do Sudeste e principalmente no Nordeste e em Minas Gerais. A presença do grupo de cor livre deve ter diluído a dicotomia que igualava o negro ao escravo e o branco ao homem livre, facilitando a assimilação do ex-escravo nos moldes da estrutura social dessas partes do país.

Deve ser lembrado um fato que se relaciona com o ponto anterior: no momento da abolição, estava mais avançada a transição para o trabalho livre fora do Sudeste, especialmente nas províncias litorâneas do Maranhão à Bahia. Em termos absolutos, a população escrava desta região chega ao seu máximo na metade do século, começando a diminuir rapidamente a partir desta data. Como conseqüência desse declínio absoluto, a proporção do contingente escravo diminuirá em relação à população total. Os 620.966 escravos existentes no Nordeste, em 1823, representavam 30% da população total da região; já em 1872, os 480.409 escravos dessas nove províncias significavam apenas 10% da população. Com a abolição final, o remanescente da população escrava do Nordeste foi reabsorvida sem maiores dificuldades dentro do quadro já preestabelecido de relações de trabalho caracterizadas pela dependência senhorial, passando a engrossar as fileiras de lavradores, moradores e assalariados rurais. Referindo-se à classe de senhores desta região, E. Genovese assinala:

"... sua própria posição de classe e a correspondente auto-
-imagem dependia das características gerais de senhorio em uma
sociedade altamente estratificada, mais do que da escravidão
per se. Para eles, o senhorio patriarcal podia aparecer como
uma questão moral — como a única base apropriada para uma
vida civilizada — mas a escravidão só constituía uma forma possível de senhorio. A transição para o trabalho livre foi, de fato,
uma transição para várias formas de dependência que há muito
tempo tinham se desenvolvido paralelamente à escravidão". [23]

Se no Nordeste a abolição se processou sem grandes desajustes, os ex-escravos foram incorporados aos diversos setores do campesinato nordestino, ficando a sua sorte, a partir de então, condicionada pelo imobilismo social e econômico da região.

No Sudeste, o curso dos acontecimentos será totalmente diferente. À medida que o regime escravista entra nas suas últimas décadas de existência, e ao tempo que a população escrava do país diminui irreversivelmente, esta região irá concentrar uma proporção cada vez maior da população cativa. O conjunto destas seis províncias, que em 1823 contava com 16% dos escravos do país, aumenta sua participação para 32% em 1864, e novamente para 39% em 1872, concentrando a partir dessa data sempre mais de dois quintos dos escravos do país.

Ao longo do século passado a importância do trabalho escravo nesta região variou consideravelmente de uma província para outra. Assim, a escravidão urbana, que teve seu centro mais expressivo no Município neutro, perde importância rapidamente desde a década de 1860, tanto como resultado da venda e transferência de escravos para a agricultura como por causa da campanha abolicionista, que se fez sentir primeiro nas cidades. Por outro lado, à concentração regional da riqueza na lavoura do café, corresponde uma concentração proporcional de escravos. Mesmo dentro das províncias cafeeiras do Rio de Janeiro e São Paulo, o índice de concentração de escravos nos Municípios cafeicultores aumenta à medida que se aproxima a data da abolição. [24] Desde os anos iniciais da década de 1870, diminui a intensidade das transferências inter-regionais, originadas principalmente no Nordeste. Teria, então, adquirido maior importância o deslocamento de escravos — no interior do Sudeste e das províncias cafeicultoras — na direção da cidade para o campo e das áreas não engajadas na lavoura de café, ou onde esta estava em declínio, para as áreas em expansão. Fora as áreas cafeeiras, a província do Rio Grande do Sul constituiu até 1884 o único centro escravista de alguma importância no Sudeste.

A vasta e populosa província de Minas Gerais — excluída da região Sudeste, tal como definida neste trabalho — apresenta peculiaridades. Sua participação no ciclo do café determinou uma redistribuição demográfica dentro de suas fronteiras, por meio de transferências intraprovinciais de escravos, dos antigos distritos mineiros da região central para os Municípios cafeeiros do sudeste ou zona da Mata. Neste sentido, a dinâmica desta última zona se aproxima da área adjacente da região Sudeste, enquanto que a região central pode ser assimilada a do resto do país.

Não obstante as variações de grau em que o trabalho escravo foi utilizado no Sudeste, o que unifica a experiência histórica dos ex-escravos e libertos a partir do momento da abolição é a forma como se resolveu o problema do trabalho nesta região. Em certa medida, o pensamento e a prática abolicionistas permitem antecipar o destino do escravo e da população de cor livre depois da abolição. A escravidão era vista como um obstáculo à modernização econômica do país, assim como um impedimento à promoção da imigração européia. [25] No Sudeste, se estabelece uma clara relação entre abolicionismo e imigracionismo, relação que se vincula ao clima de pessimismo racial do fim do século XIX e à equação entre o progresso e embranquecimento do país. Ao problema da escassez de mão-de-obra — definida em termos *estritos* como escassez de *braços escravos* — pretendia-se dar solução por meio do estímulo à imigração européia.

"O braço livre desejado era o braço estrangeiro, sem mácula, não o braço liberto ou do negro degredado pela escravidão. Esse, ao contrário, passava a ser considerado *em si mesmo*, independentemente do sistema escravocrata, como causa da ociosidade, marasmo, dissolução. O que fora fruto da escravidão, passava a ser confundido com sua causa e tido como fator de imobilismo e atraso". [26]

128

A solução imigracionista articulava-se não só como resposta ao problema imediato de falta de mão-de-obra na agricultura, mas também como parte de um projeto de modernização do país a mais longo prazo, no qual o embranquecimento da população nacional contava como uma das conseqüências mais desejadas.

Se o imigracionismo proporcionou bons resultados até 1930, a sua contrapartida, o movimento abolicionista, desaparece com a própria escravidão. Nas palavras de E. Viotti da Costa, o abolicionismo

"fora primordialmente uma promoção de brancos, de homens livres. A adesão dos escravos viera depois. Nascera mais do desejo de libertar a nação dos malefícios da escravatura, dos entraves que esta representava para a economia em desenvolvimento, do que propriamente do desejo de libertar a raça escravizada em benefício dela própria, para integrá-la à sociedade dos homens livres. Alcançado o ato emancipador, abandonou-se a população de ex-escravos a sua própria sorte". [27]

No Sudeste, o início do afluxo maciço de imigrantes europeus, estimulados pelos governos provinciais e estaduais, inclusive subsidiado no caso de São Paulo, coincide com a data da abolição.

Neste sentido, o efeito do deslocamento pelo imigrante se fez sentir não só nos quase 300.000 escravos liberados entre 1887 e maio de 1888, como também no grupo de negros e mulatos livres, que na época se aproximava da casa do milhão e meio de pessoas na região.

O Quadro III informa sobre o número de estrangeiros residentes no país na data dos quatro primeiros censos demográficos e é indicativo da magnitude e destino do fluxo de imigrantes europeus.

Entre 1890 e 1900, a Região Sudeste absorve 88% do aumento do número de estrangeiros residentes no país. A partir de 1890, o estado de São Paulo substitui o Distrito Federal como principal receptor de imigrantes. Não obstante São Paulo transformar-se no maior foco de atração na década 1890-1900, imediatamente posterior à abolição, todos os estados do Sudeste recebem um contingente substancial de estrangeiros. Inclusive estados de pouca expressão demográfica, como Paraná e Santa Catarina, onde o número de escravos e pessoas de cor livres era reduzido, acolhem um número de imigrantes nada desprezível, se se leva em conta sua base populacional.

QUADRO III

DISTRIBUIÇÃO DA POPULAÇÃO ESTRANGEIRA NOS ESTADOS DO SUDESTE E REGIÕES DO PAÍS. BRASIL, 1872-1920

	1872 N.	%	1890 N.	%	1900 N.	%	1920 N.	%
RJ	94.646	24,7	16.140	14,6	50.578	4,7	50.381	3,2
DF	84.730	22,1	155.202	44,2	195.894	18,2	239.129	15,3
SP	29.622	7,7	75.030	21,4	478.417	44,5	829.851	53,0
PR	3.688	1,0	5.153	1,5	39.786	3,7	62.753	4,0
SC	16.163	4,2	6.198	1,8	29.550	2,8	31.243	2,0
RS	41.624	10,9	34.765	9,8	135.099	12,6	151.025	9,6
Sudeste	270.473	70,6	292.488	83,3	929.324	86,5	1.364.382	87,1
Resto do País	112.856	29,4	58.824	16,7	145.187	13,5	201.579	12,9
Brasil	383.329	100,0	351.312	100,0	1.074.511	100,0	1.565.961	100,0

FONTE: Censo Demográfico de 1950.

Uma idéia do impacto da imigração maciça sobre a estrutura social da região é dada pelo aumento da proporção de estrangeiros na população total da região. Esta proporção passa de 7%, em 1890, para 16% em 1900 e 13% em 1920, enquanto no resto do País a proporção de estrangeiros na população oscila em torno de 1% em todo o período considerado. Por outro lado, se considerarmos a seletividade do processo migratório, que resulta numa preponderância de homens em idade ativa, conclui-se que a representação do imigrante na força de trabalho é mais do que proporcional a seu peso na população total. Ainda que se exclua o Estado de São Paulo do cômputo geral, os outros Estados do Sudeste absorvem a grande maioria de imigrantes ingressados no país. Efetivamente, o número de estrangeiros residentes nesses cinco Estados cresce de 217.458 em 1890 para 450.907 em 1900, e novamente para 534.458 em 1920, o que significa 73% do aumento da população estrangeira residente no país no período 1890-1900 e 60% no período 1900-1920.

A despeito de variações locais e do fato de a migração internacional não ter produzido aí um impacto tão grande quanto em São Paulo, os dados acima destacados permitem, dentro de certos limites, generalizar para o resto do sudeste a análise de Florestan Fernandes acerca do processo de monopolização, pelo imigrante, das oportunidades de classificação econômica e ascensão social e o conseqüente deslocamento de negros e mulatos para ocupações marginais ao sistema de produção capitalista das áreas urbanas e rurais. [28]

A ausência de dados sobre emprego, para quase todos os Estados, no censo de 1890 e a falta de informações sobre a cor da população nos censos de 1900 e 1920 tornam quase impossível armar o quadro completo do processo de reacomodação de negros e mulatos no sistema econômico e particularmente no mercado de trabalho, nas décadas posteriores à abolição. A evidência fragmentária disponível permite, porém, reconstituir alguns dos processos sociais de reacomodação da população de cor do Sudeste, nos anos posteriores à abolição.

Nas zonas agrícolas em expansão, como a cafeeira do oeste paulista, os fazendeiros deram preferência ao imigrante assalariado. Neste caso, o ex-escravo deslocado reverteu para a economia de subsistência ou migrou para as cidades. Nas regiões agrícolas em decadência, tais como o vale do Paraíba, o ex-escravo foi reabsorvido como parceiro ou assalariado, ao mesmo tempo em que parte do excedente demográfico não empregável migrava para outras regiões. Por fim, nas cidades, ocorreu aparentemente um processo de expulsão, pelo imigrante, dos setores de emprego onde o mulato e o negro se concentravam: artesanato urbano, o pequeno comércio e alguns ramos do setor de serviços. [29]

Ainda que não possa ser considerado como representativo das áreas urbanas do Sudeste, o Distrito Federal ilustra a forma como se deu a marginalização ocupacional da população de cor pela presença do imigrante europeu. Segundo os dados de 1890, enquanto quase metade dos 89.000 estrangeiros — que constituíam um terço da população ativa da cidade — trabalhavam no comércio e na indústria manufatureira, das 86.621 pessoas de cor economicamente ativas, 41.320 tinham emprego no serviço doméstico, 14.720 na indústria, 14.145 não tinham profissão declarada e outras 7.864 se concentravam na atividade extrativa, pastoril e agrícola. [30] Apesar dessa grande concentração em trabalhos não qualificados, os 17% das pessoas de cor empregadas na indústria constituem indício de um processo incipiente de proletarização do negro e do mulato, que se antecipa ao que ocorrerá no resto da região Sudeste a partir da interrupção do afluxo de imigrantes em 1930.

Em resumo: no resto do país ou Brasil subdesenvolvido, onde se concentra a maior parte da população de cor, a massa de ex-escravos é reabsorvida depois da abolição sem grandes comoções na rede de relações sociais caracterizadas pela dependência senhorial e clientelismo, ficando nas décadas seguintes predominantemente vinculada ao setor agrário da região. Já na região Sudeste, onde a abolição coincide com o início da entrada maciça de imigrantes europeus, a população de cor como de um todo, incluindo ex-escravos e libertos, ficou inicialmente marginalizada do núcleo da economia capitalista em formação. Até a década de 1920, em conseqüência da corrente imigratória européia oficialmente promovida, fechou-se um espaço sócio-econômico que de outra forma teria ficado disponível às pessoas de cor e, de forma mais geral, à força de traballho nacional, concentrada fora da região e dentro dela. Apesar deste processo de desajustamento social, que se fez sentir por mais de uma geração, o negro e o mulato começam a acompanhar posteriormente o ritmo das transformações sociais por que passa a região, sem que por isto a relação hierárquica entre o grupo branco e de cor seja substancialmente modificada.

Desigualdades ocupacionais e educacionais

Em trabalho anterior, Amaury de Souza explorou as relações entre urbanização, industrialização e desigualdades raciais no Brasil, baseando-se nos dados do censo demográfico de 1950.[31] Por meio de um índice de desigualdades relativas, tomando os Estados da Federação como unidades de análise, o autor mediu o afastamento da situação de igualdade de oportunidades entre brancos, pardos e pretos nas esferas ocupacional e educacional. Comprovou, assim, que a população parda e preta se encontra numa situação de desigualdade relativa, tanto ocupacional quanto educacionalmente, com respeito à população branca, e que a desigualdade relativa experimentada pelo grupo preto é consistentemente maior que a do grupo pardo.

Interessa-nos destacar duas das principais conclusões deste trabalho: a) considerando-se a divisão entre as categorias de pessoas alfabetizadas e analfabetas, o processo de urbanização tende a ampliar as oportunidades da população de cor na esfera educacional, no sentido de diminuir a desigualdade relativamente ao grupo branco; e b) levando-se em conta a distinção entre ocupações manuais e não manuais, o processo de industrialização tende a ampliar as possibilidades ocupacionais do grupo de cor, diminuindo o grau de desigualdade em relação ao grupo branco.[32]

Retomando essa linha de trabalho, veremos como as desigualdades raciais se comportam ao considerar a região Sudeste e o resto do país. A expectativa é de que na região Sudeste, a mais urbanizada e industrializada do Brasil, as desigualdades ocupacionais e educacionais entre brancos e pessoas de cor sejam menores do que no resto do país, região predominantemente rural e pouco industrializada. [33] O desenvolvimento econômico acelerado tem como contrapartida um processo de diferenciação estrutural que, por sua vez, implica na criação e expansão de novas posições sociais a serem preenchidas. Quando o ritmo de criação de novas posições é extremamente rápido, a competição para ocupar essas posições tende a ser menos acirrada do que em situações de estagnação econômica ou desenvolvimento mais lento. Nestas condições, uma parcela da população de cor pode ser beneficiada pela forte pressão de demanda e passar a preencher as novas posições. [34] A operação de um mecanismo deste tipo permite explicar o ingresso de uma parte da população de cor no operariado industrial e, numa medida mais limitada, a posições típicas da nova classe média e pequena burguesia tradicional.

A dinâmica econômica do Sudeste durante o último século permite que esta região seja enquadrada no tipo de circunstâncias acima descritas. Por outro lado, vimos como durante o período de migrações internacionais, o imigrante europeu deslocou o negro e o mulato, ocupando as posições que se abriam no sistema econômico. Desta forma, o processo de classificação econômica da população de cor deve ter-se acelerado a partir de 1930, quando o afluxo de imigrantes se interrompe e o ritmo de industrialização da região se intensifica.

Isto não significa que os mecanismos racistas de discriminação desapareçam com a industrialização e o desenvolvimento econômico rápido. Se é verdade que o crescimento acelerado e as transformações na estrutura ocupacional favorecem altas taxas de mobilidade social ascendente, parece também ser evidente que, tipicamente, o esforço investido por uma pessoa de cor para percorrer uma certa distância social é maior que o exigido de uma pessoa branca. Por outro lado, a raça como critério relevante para o recrutamento perde importância somente com respeito a algumas posições sociais. Isto é particularmente visível na esfera ocupacional, por exemplo: enquanto, nas ocupações manuais da indústria, a qualificação para o cargo parece ter mais importância que a cor como critério de contratação, nas ocupações que implicam um relacionamento direto com o público ou com o consumidor, o negro e o mulato são excluídos não tanto pela falta de qualificação, mas por serem percebidos como esteticamente questionáveis.

O Quadro IV mostra a distribuição da população branca e de cor em alguns setores ou ramos de atividade econômica. Os setores de profissões liberais, comércio de imóveis, valores etc., atividades sociais e administração pública foram agrupados, por ser neles que se concentram as ocupações que, em média, exigem qualificação educacional mais alta e são melhor remuneradas. Da mesma forma, agricultura, indústrias extrativas e prestação de serviços foram juntados por incluírem as ocupações que, em média, requerem menor qualificação educacional e são as piores remuneradas.

Os dados sobre ramos de atividade apresentam certas desvantagens, sendo uma delas a impossibilidade de detectar a hierarquização dos dois grupos raciais dentro das ocupações de cada setor. Não obstante, esses dados permitem algumas constatações importantes.

A primeira delas é que, quando se comparam as distribuições e os índices de concentração do Brasil com os da região, as desigualdades ocupacionais no conjunto do país são maiores que as existentes em cada uma das regiões. Isto aparece claramente ao observar-se a maior concentração proporcional de pessoas de cor na agricultura, prestação de serviços e indústrias extrativas, sendo os índices de 0,81 para o Brasil e de 0,92 para as duas regiões. O mesmo fenômeno se faz presente de maneira mais acentuada, no caso da indústria de transformação. Neste ramo de atividades, para o Brasil com um todo, a população branca está super-representada, apresentando um índice de concentração de 1,38; mas o inverso ocorre no Sudeste e no resto do país, cujos índices são de 0,92 e 0,91 respectivamente. A explicação para o fato de as desigualdades ocupacionais em cada uma das regiões serem menores do que no total do Brasil reside no diferente padrão de distribuição regional da população branca e de cor. Assim, ao introduzir a região como controle, desaparece o efeito da segregação ecológica dos dois grupos.

A segunda constatação relevante surge quando se comparam as distribuições e índices das duas regiões. De um lado, nota-se que a população de cor está igualmente super-representada no setor de indústria de transformação e sub-representada no comércio de mercadorias. O resultado mais importante, porém, aparece ao considerar-se os grupos de setores que concentram as ocupações mais e menos qualificadas. Começando por estas últimas, observa-se que a população de cor está igualmente super-representada na agricultura, prestação de serviços e indústrias extrativas, o que indica que, em ambas as regiões, negros e mulatos se concentram desproporcionadamente na base da hierarquia ocupacional. Pelo contrário, observando

QUADRO IV

DISTRIBUIÇÃO PROPORCIONAL DA POPULAÇÃO ATIVA POR RAMOS DE ATIVIDADE, SEGUNDO COR E REGIÕES DO PAÍS. BRASIL 1950
(PROPORÇÕES POR MIL)

	Brasil		Sudeste		Resto do país		BR B/C	SE B/C	RP B/C
	Branco	Cor	Branco	Cor	Branco	Cor			
Prof. lib. com. val. ativ. sociais, adm. pública	70	24	82	48	52	18	2,91	1,71	2,88
Comércio de mercadorias	72	29	79	33	63	28	2,48	2,39	2,25
Indust. transformação	146	106	196	213	73	80	1,38	0,92	0,91
Agricult., prest. serv., indústrias extrativas	650	795	565	611	774	842	0,81	0,92	0,92
Outros setores *	62	46	78	95	38	32	1,34	0,82	1,19
Total	1.000	1.000	1.000	1.000	1.000	1.000			

FONTE: Censo Demográfico de 1950.

* Inclui os setores de transportes, comunicações e armazenagem, e o de defesa nacional e segurança pública.

Obs.: A razão entre a proporção de brancos e população de cor, à direita do quadro, pode ser interpretada como um índice simples de desigual concentração dos dois grupos dentro de cada ramo de atividade, onde a unidade significa igual concentração proporcional, os valores superiores à unidade, concentração desproporcional de brancos no setor e os valores inferiores à unidade, concentração desproporcional de pessoas de cor.

135

o que ocorre nas profissões liberais, comércio de valores, atividades sociais e administração pública, vemos que a exclusão de negros e mulatos é muito maior no resto do país. Em outras palavras, os índices de 1,77 no Sudeste e de 2,88 no resto do país revelam que na primeira região há maior penetração de pessoas de cor nos estratos ocupacionais médios e altos.

Concluindo, em relação à população branca, a população de cor dentro de cada região se concentra desproporcionalmente na base da pirâmide ocupacional. Entretanto, no Sudeste a população de cor não só criou seu lugar dentro da classe operária, acompanhando assim a industrialização da região, como também teve maiores *chances* de mobilidade para os setores médios da hierarquia ocupacional. Estes processos, que refletem o ritmo das transformações sociais aceleradas que ocorrem na região, adquirem maior relevância, quando se leva em conta a marginalização sócio-econômica sofrida pelo negro e pelo mulato no Sudeste, nas décadas imediatamente posteriores à abolição. [35]

Veremos agora como se comportam as desigualdades raciais na esfera educacional. Como já foi visto, em 1950 a taxa de alfabetização das pessoas de cinco anos e mais era de 53% para os brancos e de 26% para as pessoas de cor. Basta acrescentar que as maiores diferenças se produzem ao considerar os homens brancos e as mulheres pretas, cujas taxas de alfabetização eram de 56,2% e 20,5% respectivamente. Introduzindo a distinção entre as regiões, analisaremos os graus relativos de desigualdade educacional, levando em conta níveis de escolaridade além da simples alfabetização.

À diferença dos dados ocupacionais, as desigualdades raciais aparecem aqui na sua verdadeira magnitude. Além de existirem desigualdades em todos os níveis de ensino, as desigualdades de oportunidades crescem exponencialmente ao se passar para os níveis de ensino mais elevados. No total do país, os brancos tinham uma *chance* de completar o grau elementar 3,5 vezes maior que as pessoas de cor, uma *chance* 11,7 vezes maior de completar o ensino médio e 22,7 vezes mais probabilidade de obter um diploma de nível superior.

Ao comparar-se o total do Brasil com as duas regiões, observa-se que, de forma consistente, as desigualdades raciais em educação são maiores no total do país do que dentro de cada uma das regiões. Novamente este ordenamento das desigualdades obedece ao diferente padrão de distribuição geográfica da população branca e de cor.

Passando à comparação das duas regiões, nota-se em primeiro lugar que as desigualdades de oportunidade em relação ao grupo branco são maiores no resto do país, em todos os níveis de ensino, tal como era esperado. Sem embargo, as diferenças relativas de oportunidades entre as duas regiões são maiores no grau elementar (1,9 e 3,0) e diminuem no grau médio e superior. Isto significa que a população de cor, de um modo geral, está impedida de ingressar nos níveis mais elevados de ensino e que, neste particular, o maior desenvolvimento sócio-econômico do Sudeste não se traduziu em maiores possibilidades educacionais relativas para a população de cor.

Há outro resultado interessante, mostrado pelo Quadro V, e que é expressão das grandes desigualdades no desenvolvimento regional: pelo menos no grau elementar, no Sudeste a proporção de pessoas de cor que conseguiram diploma é superior à da população branca do resto do país.

Felizmente, no que se refere à educação, existem dados mais recentes que permitem acompanhar a evolução das desigualdades raciais na esfera educacional no período posterior a 1950. O Quadro VI contém os dados levantados em 1973, de uma amostra representativa da população de seis Estados da Federação. [36]

A respeito da comparação dos Quadros V e VI estar limitada pela natureza dos dados, diferentes faixas etárias, agrupamentos de níveis educacionais e regiões consideradas, algumas conclusões podem ser formuladas.

Primeiro, entre 1950 e 1973, o nível de escolaridade de toda a população elevou-se consideravelmente, e a população de cor foi beneficiada pela expansão do sistema educacional do país. Isto acontece, embora três quintos da população de cor ainda não tivesse chegado a completar o ciclo primário, o mesmo acontecendo com somente dois quintos da população branca. Segundo, a população de cor foi beneficiada significativamente pela ampliação das bases de recrutamento do sistema de ensino primário e ginasial. Terceiro, o setor educacional vedado à população de cor deslocou-se mais para cima na pirâmide educacional. É nos níveis colegial e universitário que se estabelecem claramente a barragem para as pessoas de cor e o monopólio virtual do grupo branco.

A distribuição diferente dos dois grupos raciais na hierarquia educacional se traduz na média de anos de estudo completados por cada um deles. Nos dados em consideração, esta média, era de 4,8

QUADRO V

CURSOS COMPLETADOS OU DIPLOMAS DE ESTUDO OBTIDOS PELAS PESSOAS DE 10 ANOS E MAIS, POR COR E REGIÕES DO PAÍS, SEGUNDO O GRAU DE ENSINO. BRASIL 1950 (PROPORÇÕES POR DEZ MIL)

	Brasil		Sudeste		Resto do país		BR B/C	SE B/C	RP B/C
	Branco	Cor	Branco	Cor	Branco	Cor			
Grau superior	68	3	88	5	40	2	22,7	17,6	20,0
Grau médio	410	35	531	79	249	26	11,7	6,7	9,6
Grau elementar	1.998	573	2.615	1.364	1.176	397	3,5	1,9	3,0
Sem grau completo ou não declarado	7.524	9.389	6.766	8.552	8.535	9.575			
	10.000	10.000	10.000	10.000	10.000	10.000			

FONTE: Censo Demográfico de 1950.

QUADRO VI

NÍVEIS EDUCACIONAIS ATINGIDOS PELA POPULAÇÃO DE 18 ANOS E MAIS, SEGUNDO A COR *

Educação	Total %	Brancos %	P. de cor %
Universitário **	6,1	7,5	0,5
Colegial **	9,6	11,5	2,1
Ginasial **	14,2	14,5	12,7
Primário completo	25,2	25,4	24,3
Primário incompleto	20,4	19,8	22,0
Analfabetos	24,5	21,2	37,4
	100,0	100,0	100,0
	(1.308)	(1.042)	(266)

* Dados correspondentes aos Estados de Minas Gerais, Espírito Santo, Guanabara, Rio de Janeiro, São Paulo e Rio Grande do Sul.
** Inclui os que completaram ou cursaram parte desses níveis de ensino.

anos para o total da amostra, de 5,2 anos para o grupo branco e de 2,8 anos para o grupo de cor.

De qualquer modo, os avanços educacionais, que beneficiaram a população de cor em termos absolutos, devem ser interpretados com cautela. Por um lado, deve levar-se em conta que o aumento no nível de escolaridade da força de trabalho tem como contrapartida a elevação na qualificação educacional requerida para preencher as posições no mercado de trabalho. Por este motivo, na medida em que se mantêm as diferenças relativas entre os grupos branco e de cor na esfera educacional, os ganhos educacionais do grupo de cor não implicam necessariamente uma modificação na hierarquia de posições dos dois grupos na estrutura ocupacional. Por outro lado, se bem que a educação tenha constituído, no Brasil, o principal canal de ascensão social para o mulato e o negro, existem fortes motivos para pensar que, quanto mais elevado o nível educacional das pessoas de cor, maior é a discriminação no mercado de trabalho. Isto significa que para as pessoas de cor o retorno de anos adicionais de escolaridade, em termos de ganhos nas esferas ocupacional e de distribuição de renda, tende a ser decrescente se se adota o grupo branco como norma. [37]

Conclusão

Enquanto a diminuição das desigualdades de classe implica seja em modificar os parâmetros institucionais do sistema, seja em implementar políticas que contrariem os interesses de grupos economicamente dominantes, a redução das desigualdades raciais requer que, a partir da pressão política do grupo racialmente dominado, mecanismos de mobilidade social sejam acionados visando à promoção diferencial desse grupo. No primeiro caso, o que se põe em jogo é a própria estrutura de classes; no outro, o privilégio racial do grupo branco dominante.

Para atingir uma situação de completa igualdade racial é necessário que os dois grupos raciais estejam igualmente distribuídos ao longo da hierarquia sócio-econômica. Numa situação de recursos constantes, isto é, quando as posições na estrutura de classes — e seus correlatos nas esferas de estratificação e distribuição — permanecem as mesmas, ao movimento ascendente de pessoas de cor, necessário para chegar à igualdade racial perfeita, corresponderia um movimento equivalente de descenso de brancos. Quando os recursos crescem, ou seja, as posições aumentam e a estrutura das mesmas se modifica, o movimento ascendente de pessoas de cor não precisa ter como contrapartida o descenso equivalente de brancos, aproximando-se a situação do que os economistas gostam de chamar de ótimo de Pareto. A diferença entre as duas situações — recursos constantes versus recursos em expansão — pode ser vista como o dado fundamental para as estratégias alternativas de demanda pela diminuição das desigualdades raciais.

Nos Estados Unidos, a realidade se aproxima mais de uma situação de recursos em expansão. Apesar da contínua operação de mecanismos racistas que reproduzem a relação de dominação racial, nesse país as desigualdades raciais — em algumas esferas objetivas como educação, renda e ocupação — tem diminuído consideravelmente nas últimas décadas. Feito o balanço histórico, também é evidente que, em última análise, as causas da diminuição dessas desigualdades devem ser procuradas mais nos movimentos negros e de outras minorias raciais do que na má consciência branca gerada pelo dilema americano.

Esperar que o ideal da democracia racial se realize por meio de um processo de mobilidade social individual é ilusório, pois não se consideram os mecanismos que bloqueiam as possibilidades de ascensão das pessoas de cor e muito particularmente do negro. Às práticas discriminatórias dos brancos, sejam elas abertas ou polidamente sutis, somam-se os efeitos de bloqueio derivados da internalização de uma auto-imagem desfavorável por parte das pessoas de cor. A forma complexa como esses dois mecanismos funcionam e se reforçam mutuamente leva a que normalmente o negro e o mulato regulem as suas aspirações em consonância com o que culturalmente é imposto e definido como lugares apropriados para as pessoas de cor. H. Adam define em termos extremos e claros este aspecto da dinâmica racista:

"Uma pessoa que espera passar sua vida em dependência, sem saídas, tende a reduzir suas necessidades e aspirações à medida prescrita. Acaba finalmente aprendendo e internalizando como reagir de forma devida às expectativas, sanções e recompensas de seu dominador, dado que só esta atitude assegura sua sobrevivência nas condições vigentes". [38]

A contrapartida do lado branco consiste em ter o negro como contra-concepção que serve para definir-se a si mesmo: "A auto-segurança decorrente de formar parte de um grupo que desfruta de supremacia estrutural reforça, por si, as capacidades pessoais e, portanto, estimula as realizações". [39]

Se a mobilidade social individual pode ser descartada como forma de diminuir as desigualdades raciais, somos levados a colocar a relação entre movimentos sociais e mobilidade coletiva e perguntar-nos sobre os motivos pelos quais os movimentos negros no Brasil têm sido historicamente pouco expressivos.

De um modo geral, a resistência à situação de subordinação não é um reflexo direto da severidade das condições objetivas nem dos níveis absolutos de privação. Para que possam aparecer imagens contraditórias sobre o lugar apropriado do negro e diluir-se a associação entre cor e posições sociais inferiores, é condição necessária que o grupo racialmente subordinado acumule um mínimo de recursos políticos e habilidades organizacionais, o que, por sua vez, têm como pré-requisitos níveis de vida e educacionais mais elevados.

A literatura sobre relações raciais tem destacado alguns traços específicos do sistema brasileiro de relações raciais que explicam a fraqueza dos movimentos negros no país. Ênfase especial tem sido concedida a ideologia racial brasileira e à sua eficácia em prevenir desafios ao status quo racial. Florestan Fernandes assinala como,

"... a ideologia e utopia raciais dominantes impõem a todas as categorias étnicas, raciais ou nacionais submetidas à *supremacia branca*, sem exceção, uma forte pressão assimiladora, que não deixa alternativas em problemas essenciais, de significado ou com implicações políticas. Essa pressão é intransigente e monolítica, embora quase sempre se justifique em nome da "integração nacional" ou da "democracia racial" e da "democracia cultural". [40]

Carl Degler tem enfatizado o processo de embranquecimento social e cooptação das pessoas de cor ascendentes através do *mulato scape hatch* e suas conseqüências no sentido de esvaziar uma possível liderança para a massa da população de cor.

"Como já vimos, o fato de fazer distinção entre mulatos e negros dá à sociedade brasileira a oportunidade de oferecer a algumas pessoas de cor a possibilidade de fugir aos inconvenientes da negritude. Só esse fato diminui significativamente o sentido de solidariedade que é indispensável ao sucesso de qualquer organização pelos direitos dos negros". [41]

Não resta dúvida de que tais fatores são extremamente importantes para explicar a fraqueza dos movimentos negros no Brasil. Contudo, sugerimos que não parecem suficientes. Tal explicação deve ser buscada também fora do que, implícita ou explicitamente, é delimitado como sistema de relações raciais.

O ritmo gradual das transformações políticas no Brasil — passando através de 1888-89, do Movimento Tenentista e da Revolução de 1930 — demonstra a habilidade dos grupos política e economicamente dominantes para implementar a modernização econômica do país e, ao mesmo tempo, sua capacidade para protelar e controlar a mobilização sócio-política das classes baixas. A ausência de uma "ruptura revolucionária com o passado" está na base da visão paternalista que os grupos dominantes sempre mantiveram dos setores populares, e da ilegitimidade destes últimos como atores políticos.

A conclusão preliminar a que podemos chegar é que um sistema político que combina repressão com relações de autoridade permeadas por uma ideologia paternalista, como forma de impossibilitar a articulação de demandas populares, constitui um âmbito inibidor para a emergência de movimentos sociais modernos e ideologicamente orientados sejam eles *raciais* ou de *classes*. Para estes grupos subordinados, as eventuais diferenças de regime foram muito menos relevantes do que os traços permanentes da comunidade política brasileira — aqueles que marcam a sua não escrita constituição: autoritarismo social difuso e, quando necessário, repressão concreta. Neste sentido, o caso brasileiro se aproxima daqueles que Barrington Moore estudou como de "modernização de cima para baixo".

5

Cor e o processo de realização sócio-econômica

Introdução

O OBJETIVO DO PRESENTE capítulo é prosseguir na avaliação do papel desempenhado pela variável "Raça" no processo de estratificação da sociedade brasileira, seguindo uma linha de investigação recentemente iniciada por Hasenbalg e por mim.[1] O ponto de partida para essa nova linha de pesquisa é uma revisão crítica da literatura sociológica sobre relações raciais no Brasil, onde se constata que o papel das clivagens raciais no processo estratificatório ou é simplesmente desconsiderado, caso das análises que consideram o preconceito e a discriminação como um mero epifenômeno das relações de classe, ou então é minimizado, nos casos em que a verificação da conspícua existência de sentimentos e atitudes discriminatórias é explicada como constituindo um "arcaísmo" ou uma "sobrevivência cultural" evanescente do passado escravista. A conseqüência lógica dessas análises é que "raça" tem um efeito independente nulo ou irrelevante sobre o processo de estratificação, e, mais particularmente, sobre a mobilidade social no Brasil.

Revisando criticamente essas análises, a nova linha de pesquisa a que nos referimos acima tenta enfatizar a funcionalidade da discriminação racial como instrumento para o alijamento competitivo de certos grupos sociais no processo de distribuição de benefícios materiais e simbólicos, resultando obviamente em vantagens para o grupo branco *vis-à-vis* aos grupos não-brancos na disputa por esses benefícios. Ou seja, procura-se mostrar como o preconceito e a discriminação racial são fatores intimamente associados à competição por posições na estrutura social e, portanto, necessariamente refletindo-se em diferenças entre os grupos raciais ao nível do próprio processo de mobilidade social.

Este capítulo é de autoria de Nelson do Valle Silva e foi originalmente publicado em DADOS — *Revista de Ciências Sociais,* Rio de Janeiro, v. 24/ 391-409, n. 3, 1981.

Esse novo posicionamento frente a questão das relações raciais no Brasil em última análise implica a exploração empírica da situação brasileira. As evidências empíricas disponíveis até o momento parecem confirmar a relevância da dimensão racial no processo estratificatório, sendo que estas indicam que podemos caracterizar a situação dos grupos não-brancos como sujeitos ao que poderíamos chamar um "processo de cumulação de desvantagens" ao longo de suas trajetórias sociais. Descrevendo a articulação entre discriminação racial e mobilidade social, e baseado em uma análise de dados de uma pesquisa realizada na região sudeste do Brasil em 1973, Hasenbalg observa que:

> "Nascer negro ou mulato no Brasil normalmente significa nascer em famílias de baixo *status*. As probabilidades de fugir às limitações ligadas a uma posição social baixa são consideravelmente menores para os não-brancos que para os brancos de mesma origem social. Em comparação com os brancos, os não-brancos sofrem uma desvantagem competitiva em todas as fases do processo de transmissão de *status*".[2]

Assim, tanto a mobilidade intergeracional como a mobilidade intrageracional refletem numa certa medida a situação das relações raciais em nossa sociedade. É propósito do presente trabalho avançar e consolidar a pesquisa da articulação entre a discriminação racial e a mobilidade social, usando para isso as recentes informações da primeira pesquisa a nível nacional sobre cor e estratificação social — a PNAD/76.

Dados básicos

A Pesquisa Nacional por Amostra de Domicílios (PNAD) é um levantamento anual realizado pela Fundação IBGE e que tem por objetivo essencial caracterizar a mão-de-obra. A PNAD baseia-se numa amostra probabilística de aproximadamente 120 mil domicílios, cobrindo todo o território nacional, com exceção das áreas rurais das regiões Norte e Centro-Oeste.

Em 1976, através da PNAD, a Fundação IBGE deu início a uma série de estudos sistemáticos sobre as diferenças sócio-econômicas entre os grupos de cor na sociedade brasileira. Os dados mais recentes, até então, datavam de 1960, quando por ocasião do Censo daquele ano foram coletadas, a nível nacional, informações sobre a cor dos

145

entrevistados. Na pesquisa de 1976, através de um suplemento que cobriu uma subamostra de 1/5 da PNAD, abordou-se a mensuração dessa característica de duas maneiras distintas. Na primeira, deixou-se ao respondente a escolha da designação de cor que julgasse mais adequada. Em outras palavras, registrou-se a resposta do informante à pergunta:

"Qual a cor do Sr. (Sra.) ....?"
(Nome do Entrevistado)

Somente após a investigação desse quesito (*designação* de cor) é que se procedeu à investigação na forma tradicional (chamada *classificação* de cor) sobre o quesito, ou seja, indagou-se:

"Entre *Branca, Preta, Amarela* ou *Parda,* como classificaria a cor do Sr. (Sra.) ....?"
(Nome do Entrevistado)

Para ambas as formas de investigação do quesito, especificou-se que o entrevistador não deveria discordar ou externar opinião a respeito da declaração, mesmo que a seu ver tivesse havido um engano, pois o que se pretendia era capturar um processo de autoclassificação.

A análise das respostas ao quesito aberto de cor ("designação de cor"), utilizando-se os dados apresentados na Tabela 1, indica que, apesar de termos encontrado uma quantidade muito extensa de designações de cor (cerca de 135 designações diferentes), verifica-se uma elevadíssima concentração em alguns poucos termos. De fato, aproximadamente 95% das respostas estão concentradas em apenas sete designações de cor diferentes, sendo que quatro delas são comuns às usadas no quesito fechado ("classificação de cor"), ou seja: Branca, Preta, Amarela ou Parda. As outras três categorias são as designações Clara, Morena Clara e Morena, essa última recebendo cerca de 1/3 do total de respostas dadas.

Alguns pontos importantes devem ser levantados quanto aos dados apresentados na Tabela 1. Levando-se em conta que a denominação "morena" é completamente ambígua, podendo se referir tanto à cor da pele quanto à cor do cabelo do entrevistado, as respostas dadas indicam mais do que nada a dúvida por parte do respondente quanto ao objeto da mensuração, ou seja, que característica se pretendia medir com a pergunta feita. A subseqüente indagação na forma fechada

146

TABELA 1

POPULAÇÃO RESIDENTE, POR CLASSIFICAÇÃO DE COR E DESIGNAÇÃO DE COR. BRASIL — 1976

Designação de cor	População residente									
	Total		Classificação de cor							
			Branca		Parda		Preta		Amarela e sem declaração	
	N	%	N	%	N	%	N	%	N	%
Total	105.812.121	100.0	59.710.748	56.4	33.072.352	31.3	8.865.753	8.4	4.163.268	3.9
Branca	46.137.163	100.0	44.706.165	96.9	846.512	1.8	55.482	0.1	529.004	1.2
Preta	4.933.267	100.0	87.531	1.8	392.375	8.0	4.413.588	89.5	39.801	0.8
Amarela	1.069.764	100.0	119.243	11.2	84.321	7.9	1.621	0.2	864.579	80.8
Parda	7.487.126	100.0	176.477	2.4	7.033.679	93.9	202.101	2.7	74.869	1.0
Morena	34.824.506	100.0	8.533.951	24.5	21.919.162	62.9	3.108.767	8.9	1.262.626	3.5
Morena clara	2.825.682	100.0	1.613.444	57.1	961.135	34.0	78.482	2.8	172.621	6.1
Clara	2.308.958	100.0	2.051.947	85.5	222.246	9.3	13.343	0.6	111.422	4.6
Outros	5.138.205	100.0	2.306.082	44.9	1.542.235	30.0	961.122	18.7	328.892	6.4
Sem declaração	997.450	100.0	115.908	11.6	70.687	7.1	31.275	3.1	779.454	78.1

FONTE: IBGE, *Resultados da Apuração do Boletim Especial 1.02 da PNAD/76*, mimeo. (1980).

sem dúvida aliviou essa dúvida, constituindo-se dessa forma na resposta mais confiável entre as duas. Problema similar ocorre com a designação "cor Amarela", que por não se ter imposto restrições às respostas do entrevistado, não ficou esta designação restrita às pessoas de origem asiática (como era o caso no censo de 1960). Assim, pode-se concluir que há um nível elevado de consistência nas respostas dadas aos dois quesitos, e que o quesito fechado com as quatro categorias de cor represente um indicador bastante confiável da maneira pela qual os entrevistados se autoclassificam no que tange a sua cor.

Relacionando-se a classificação de cor com diversas características sócio-econômicas, observa-se marcadas diferenças entre os grupos de cor. Como mostra a Tabela 2, quanto à situação do domicílio, brancos apresentam proporções substancialmente mais elevadas de moradores em áreas urbanas do que pretos e pardos. Diferenças significativas também emergem quando se examina outros aspectos da distribuição espacial dos grupos de cor. Contrastando com a larga predominância de brancos em São Paulo (Região II) e nos estados do Sul (Região III), temos a presença marcante de pretos e pardos do Rio de Janeiro (Região I) e particularmente no Nordeste (Região V). Dessa forma, podemos ver que, com exceção da região do Rio de Janeiro, os brancos tendem a ter uma maior presença relativa nas áreas mais desenvolvidas, enquanto que pardos e pretos tendem a ser relativamente mais numerosos nas regiões economicamente menos privilegiadas.

Os contrastes no que diz respeito às características educacionais não são menos marcantes. Elas são talvez mais nítidas quando examinamos as distribuições de escolaridade quando medida em termos de anos de estudo (Tabela 3). Concentrando nossa atenção agora nos pontos finais das distribuições apresentadas na Tabela 5, podemos constatar que, enquanto menos de 2% de pretos e menos de 4% de pardos têm 9 anos e mais de estudo, o valor correspondente para o grupo branco é de aproximadamente 11%. Por outro lado, enquanto mais da metade das pessoas no grupo preto tem menos de 1 ano de instrução, no grupo branco essa cifra é pouco superior a 1/4. São, portanto, muito marcantes as diferenças educacionais entre os grupos de cor, sendo o contraste maior aquele que distingue o grupo branco dos dois grupos não-brancos de pretos e pardos. O contraste entre os grupos não-brancos, embora aparente, é bem menos acentuado.

Refletindo parcialmente essas diferenças na distribuição espacial e na composição educacional entre os grupos de cor, as distribuições de rendimento e de realização ocupacional (apresentadas nas Tabe-

TABELA 2

ESTIMATIVAS DA POPULAÇÃO RESIDENTE, POR CLASSIFICAÇÃO
DE COR, SEGUNDO AS REGIÕES PNAD E SITUAÇÃO
DO DOMICÍLIO

Regiões da PNAD	População residente				
	Total	Classificação de cor			
		Branca	Parda	Preta	Amarela e sem declaração
TOTAL	105.817.600	59.713.405	33.073.567	8.867.360	4.163.268
Região I (RJ)	10.824.114	5.990.910	3.344.461	1.119.130	369.613
Região II (SP)	21.679.221	16.386.621	3.406.733	1.060.246	825.621
Região III (Sul)	20.223.184	15.720.829	3.233.477	693.346	575.532
Região IV (MG, ES)	14.483.235	8.065.044	4.554.055	1.322.505	541.631
Região V (Nordeste)	32.903.690	11.287.675	15.537.226	4.111.241	1.700.140
Região VI (DF)	852.638	412.997	345.936	45.078	48.627
Região VII (NT, CO)	4.851.518	1.849.329	2.651.679	248.406	102.104
População urbana	67.283.665	40.167.921	19.457.535	5.019.798	2.638.501
População rural	38.533.935	19.545.484	13.616.032	3.487.862	1.529.767

FONTE: IBGE, *Resultados da Apuração do Boletim Especial 1.02 da PNAD/76*, mimeo. (1980).

TABELA 3

ESTIMATIVAS DE PESSOAS DE 5 ANOS E MAIS, POR CLASSIFICAÇÃO DE COR, SEGUNDO OS ANOS DE ESTUDO

anos de estudo	Total	Pessoas de 5 anos e mais			
		Branca	Parda	Preta	Amarela e sem declaração
Total	91.883.346	52.238.247	28.533.797	7.831.541	3.279.761
Sem instrução e menos de 1 ano	32.071.494	13.961.714	12.628.851	4.105.590	1.375.339
1 a 4 anos	37.900.120	22.736.652	11.064.562	2.858.001	1.240.905
5 a 8 anos	14.594.545	9.768.388	3.682.609	712.259	431.289
9 anos e mais	7.222.700	5.733.768	1.111.917	148.347	228.668
Anos de estudo não determinados e sem declaração	94.487	37.715	45.858	7.344	3.560

FONTE: IBGE, *Resultados da Apuração do Boletim Especial 1.02 da PNAD/76*, mimeo. (1980).

las 4 e 5) são também marcadamente contrastantes. A proporção de brancos em ocupações de *status* mais elevado, ou seja, ocupações técnicas, científicas, religiosas, artísticas e administrativas, que incluem essencialmente os profissionais liberais e os proprietários, é superior a 1/4, enquanto que a cifra equivalente é de menos de 6% para pretos e menos de 12% para os pardos. Da mesma forma, a proporção de pretos e pardos nas ocupações de mais baixo *status* — trabalhadores manuais nas atividades agropecuárias — é quase que 50% maior que a proporção de brancos nessas mesmas ocupações.

As diferenças nas distribuições de rendimentos são possivelmente ainda mais fortes. Se restringirmos nossa atenção às pessoas com rendimentos efetivos, podemos verificar que a proporção de pessoas com rendimentos até 1/2 salário mínimo entre pretos e pardos é aproximadamente o dobro da que se pode observar entre os brancos. Em contrapartida, a situação se inverte quando consideramos as faixas de mais de 2 salários mínimos, com a proporção de brancos nessas faixas sendo mais do dobro da proporção de pretos e pardos nas mesmas faixas. Esses contrastes crescem ao longo da escala de rendimento, atingindo a um máximo no topo da mesma. Nas classes de rendimentos superiores a 5 salários mínimos, os brancos estão representados em proporções mais de 3 vezes superiores às de pardos e mais de sete vezes maiores que a de pretos.

Assim, os grupos não-brancos estão sujeitos naturalmente a uma sucessão de desvantagens que se traduzem em qualidade de vida marcadamente inferior àquela desfrutada por brancos. Cumpre, pois, que se prossiga na exploração das origens e características dessas diferenças raciais de chances de vida.

Um modelo do processo de realização sócio-econômica

A apresentação dos dados básicos feita na seção precedente mostrou que os grupos de cor estão sujeitos a uma seqüência de desvantagens ao longo de sua vida produtiva. Esta questão pode e deve ser examinada mais formalmente, e para isso podemos construir um modelo de equações estruturais que expresse as dimensões sócio-econômicas do ciclo de vida dos indivíduos, possibilitando dessa forma uma apreciação da dinâmica do processo de realização de *status*. Seguindo Duncan, podemos dizer que "as questões cruciais para uma visão de ciclo vital da gênese da pobreza (ou de qualquer outra posição numa escala de renda ou de nível de vida) são, portanto: 1) que

TABELA 4

ESTIMATIVAS DE PESSOAS QUE TRABALHARAM NO ANO DE REFERÊNCIA, POR CLASSIFICAÇÃO DE COR, SEGUNDO OS GRUPOS DE OCUPAÇÃO

Grupos de ocupação	Pessoas que trabalharam no ano de referência					
	Total	Classificação de cor				
		Branca	Parda	Preta	Amarela e sem declaração	
Total	40.197.035	22.713.756	12.472.313	3.758.023	1.252.943	
Técnicas científicas, religiosas, artísticas e afins e administrativas	7.752.867	5.834.725	1.466.680	221.351	230.111	
Agropecuária e produção extrativa vegetal e animal	14.250.470	6.842.395	5.294.235	1.645.178	468.662	
Indústria de transformação e construção civil	7.462.660	4.135.427	2.375.205	703.131	248.897	
Comércio e atividades auxiliares	2.327.380	1.486.653	663.627	135.627	72.096	
Transportes, comunicações e prestação de serviços	4.707.019	2.441.627	1.494.253	632.965	138.174	
Outras ocupações, ocupações mal definidas ou não declaradas	3.696.639	1.972.929	1.208.936	419.771	95.003	

FONTE: IBGE, *Resultados da Apuração do Boletim Especial 1.02 da PNAD/76*, mimeo. (1980).

TABELA 5

ESTIMATIVAS DE PESSOAS DE 10 ANOS E MAIS, POR CLASSIFICAÇÃO DE COR, SEGUNDO O RENDIMENTO MENSAL

| Rendimento mensal | Pessoas de 10 anos e mais | | | | |
| | Total | Classificação de cor | | | |
		Branca	Parda	Preta	Amarela e sem declaração
Total	78.143.444	44.990.426	23.960.124	6.695.059	2.497.885
Até 1/2 salário mínimo	6.234.039	2.551.434	2.503.834	959.305	209.196
Mais de 1/2 a 1 salário mínimo	10.162.180	4.871.028	3.698.212	1.268.494	324.446
Mais de 1 a 2 salários mínimos	11.062.685	6.416.071	3.355.703	988.515	302.396
Mais de 2 a 5 salários mínimos	8.006.046	5.491.928	1.827.447	450.691	235.980
Mais de 5 salários mínimos	4.598.575	3.794.699	579.575	80.908	143.393
Sem rendimento	37.958.026	21.782.772	11.961.765	2.934.897	1.278.992
Sem declaração	121.893	72.494	33.588	12.249	3.882

FONTE: IBGE, *Resultados da Apuração do Boletim Especial 1.02 da PNAD/76*, mimeo. (1980).

153

fatores, condições, circunstâncias e escolhas observáveis num estágio do ciclo vital determinam ou prognosticam resultados a serem observados em estágios posteriores? 2) Quão predizíveis são as condições em estágios posteriores a partir das informações disponíveis sobre os que antecederam? (Essas questões, obviamente, têm a ver com quem se torna rico ou pobre, e não com o que determina a renda agregada numa sociedade.) " [3] Na Figura 1 representa-se diagramaticamente um modelo de ciclo vital do processo de realização sócio-econômica que toma por base as informações disponíveis da PNAD/76, apresentadas na seção anterior. Essas informações estão dispostas segundo uma ordenação causal que representa os diversos estágios do ciclo de vida dos indivíduos.

O modelo de ciclo vital proposto pode ser representado por um sistema de equações estruturais em que quatro variáveis são "exógenas" ou "predeterminadas" e três são preditas endogenamente. As variáveis exógenas representam o *background* familiar dos indivíduos, ou seja, as condições de socialização que marcam a "Origem" social das pessoas. As quatro variáveis predeterminadas são, respectivamente, a situação de nascimento em termos da dicotomia rural/urbano, a região em que o respondente se encontra domiciliado, o grau de instrução do pai e o nível de *status* ocupacional do pai. A variável "Região" foi definida através de uma dicotomia desenvolvida/subdesenvolvida, "instrução do pai" segue uma escala de anos de escolaridade e, finalmente, "ocupação do pai", é mensurada por uma escala de intervalo de posição sócio-econômica baseada em critérios de renda e educação.[4] Essas variáveis se inter-relacionam de uma forma não especificada pelo modelo, o que é representado por setas bidirecionais curvas, e cada uma delas se relaciona linearmente com cada uma das três variáveis endógenas do modelo.

Além disso, pressupõe-se que os estágios do ciclo vital se sucedem na forma: família-escolarização-trabalho; e que cada um desses estágios seja afetado (linearmente) por todos os que o antecederam. Assim, supõe-se que o nível de instrução alcançado pelo respondente dependa das variáveis de *background* familiar, ou seja, do *status* educacional e ocupacional de seu pai e dos tipos de áreas em que nasceu e em que vive. O nível de realização ocupacional que o respondente alcançou depende do seu nível de instrução e de seu *background* familiar, da mesma forma que sua renda monetária atual depende de sua ocupação, de seu nível de instrução e de seu *background* familiar. As variáveis "nível de instrução" e ocupação do respondente foram definidas da mesma forma das correspondentes a seu pai e a variável "rendimentos" do respondente foi definida como a renda monetária percebida no último mês antecedendo a data da pesquisa. O modelo proposto é, portanto, um modelo de equações estruturais recursivo completo e pode ser estimado por mínimos quadrados ordinários. No diagrama apresentado na Figura 1 os símbolos R_1, R_2 e R_3 representam fatores residuais não-especificados que se supõem serem não-correlacionados com as variáveis antecedentes na ordenação das equações, sejam elas exógenas ou endógenas ao modelo. As Tabelas 6 e 7 apresentam os resultados da estimação do modelo proposto por mínimos quadrados ordinários, para dados não ponderados dos dois grupos básicos de cor: brancos e não-brancos (que inclui apenas "Pretos" e "Mulatos"). Somente homens adultos (de 20 a 64 anos de idade) foram incluídos na análise.

Como observação geral podemos dizer que o modelo proposto parece descrever muito adequadamente o processo de realização sócio-econômica, todas as equações ajustadas apresentando uma aderência significativa a qualquer nível convencional, como pode ser observado pela última linha em cada quadro na Tabela 7. Da mesma forma, todas as variáveis exógenas incluídas no modelo parecem afetar significativamente, a qualquer nível convencional, as variáveis endógenas ao modelo, com a possível exceção de "Situação de nascimento" na equação relativa à variável "Ocupação do respondente", e surpreendentemente, a variável "Ocupação do pai", que não apresentou um coeficiente de regressão significativo na equação referente aos

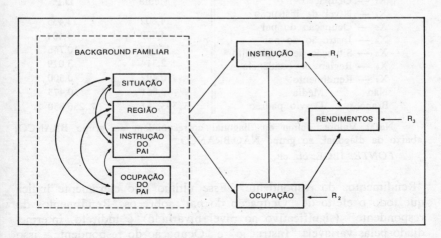

Figura 1 — Modelo do processo de realização sócio-econômica individual

TABELA 6

CORRELAÇÃO ENTRE VARIÁVEIS DO MODELO DE REALIZAÇÃO SÓCIO-ECONÔMICA POR GRUPO DE COR — BRASIL (1976)

X_1	X_2	X_3	X_4	X_5	X_6	X_7
...	0,522	0,358	0,422	0,237	0,053	0,366
0,416	...	0,270	0,447	0,360	0,146	0,299
0,310	0,153	...	0,512	0,124	0,027	0,200
0,276	0,399	0,287	...	0,336	0,106	0,287
0,133	0,368	0,028	0,294	...	0,090	0,183
0,036	0,235	−0,035	0,148	0,176	...	0,069
0,375	0,326	0,138	0,236	0,165	0,154	...
10,593	2,912	11,041	1,310	0,414	0,378	1.614,866
8,380	5,296	8,042	2,064	0,493	0,484	2.718,022

Variável	Brancos	
X_1 — Ocupação	Média	D.P.
X_2 — Nível de instrução		
X_3 — Ocupação do pai	14,802	13,435
X_4 — Instrução do pai	4,520	4,404
X_5 — Situação de nascimento	13,683	10,746
X_6 — Região de residência	2,314	3,079
X_7 — Rendimento	0,492	0,500
Não Média	0,661	0,473
Brancos. Desvio padrão	3.393,761	7.256,850

Nota: Valores acima da diagonal correspondem ao grupo BRANCO; abaixo da diagonal, ao grupo NÃO-BRANCO.

FONTE: IBGE, ob. cit.

"Rendimentos do respondente". Esse último fato claramente indica que todo o efeito de "Ocupação do pai" sobre os "Rendimentos do respondente" (significativo ao nível bivariado) é indireto, intermediado pelas variáveis "Instrução" e "Ocupação do respondente", isso ocorrendo para ambos os grupos de cor.

TABELA 7
ESTIMAÇÃO DO MODELO DE REALIZAÇÃO SÓCIO-ECONÔMICA POR GRUPO DE COR — BRASIL (1976)

A	Var. dependente: nível de instrução do respondente	
Parâmetro	Cor	
	Não-Branco	Branco
Intercepto	0,901**	1,466**
Ocupação do pai	0,029**	0,031**
Instrução do pai	0,449**	0,452**
Situação de nascimento	1,724**	2,077**
Região de residência	1,021**	0,831**
R^2	0,253	0,259
F_4, (n)	435,53** (5137)	632,15** (7239)

B	Var. dependente: ocupação do respondente	
Parâmetro	Cor	
	Não-Branco	Branco
Intercepto	5,278**	5,077**
Ocupação do pai	0,240**	0,212**
Instrução do pai	0,310**	0,650**
Situação de nascimento	−0,408n.s.	0,614*
Região de residência	−0,832**	−0,818**
Nível de instrução	0,942**	1,233**
R^2	0,242	0,338
F_5, (n)	326,28** (5127)	235,68** (7210)

C	Var. dependente: rendimentos do respondente	
Parâmetro	Cor	
	Não-Branco	Branco
Intercepto	−144,494*	−714,170**
Ocupação do pai	3,211n.s.	15,795n.s.
Instrução do pai	97,426**	258,941**
Situação de nascimento	203,902**	714,508**
Região de residência	523,001**	396,230*
Nível de instrução	116,187**	151,275**
Ocupação	92,348**	135,003**
R^2	0,192	0,166
F_6, (n)	202,16** (5113)	238,18** (7193)

Nota: ** = significante a $\alpha = 0,01$; * = significante a $\alpha = 0,05$; n.s. = não-significante.
FONTE: IBGE, ob. cit.

157

A segunda observação de caráter geral é a de que a grande maioria dos coeficientes para cada equação do modelo é maior para o grupo branco do que para o grupo não-branco. Ou seja, dado um acréscimo unitário num preditor qualquer, de um modo geral o acréscimo decorrente na variável predita é maior para os brancos do que para os não-brancos. Fraseando de uma maneira ainda diferente, dada uma situação perfeitamente igual em termos das variáveis que no modelo proposto explicam o nível de uma variável dependente, os indivíduos do grupo branco terão tipicamente um nível maior na variável dependente do que os indivíduos do grupo não-branco. Exemplificando, dado pessoas de ambos grupos de cor, residindo na mesma região, tendo a mesma situação de nascimento e com pais com níveis de instrução e *status* ocupacional idênticos, os respondentes brancos têm tipicamente um nível de instrução substancialmente maior do que os respondentes não-brancos.

Isso indica claramente a especificidade da cor no processo de estratificação, ou seja, além dos indivíduos herdarem uma situação sócio-econômica, existe ainda uma herança de raça que faz com que os indivíduos de cor se encontrem em desvantagem competitiva em relação aos brancos na disputa pelas posições na estrutura social. Na próxima seção tratarei de examinar essa questão em mais detalhes.

A herança da cor

Como fica evidenciado na Tabela 6, em todos os estágios do nosso modelo do ciclo de vida sócio-econômica os membros do grupo não-branco apresentam valores médios de realização substancialmente inferiores aos apresentados pelos indivíduos do grupo branco. Assim, enquanto que brancos têm uma média estimada em 4,5 anos de escolaridade, o valor correspondente para o grupo não-branco é de apenas 2,9 anos, o que representa uma diferença média de 1,6 anos. Igualmente, os valores médios dos *scores* ocupacionais para brancos e não-brancos são 14,8 e 10,6, respectivamente, o que perfaz uma diferença média de 4,2 pontos. A maior diferença relativa se localiza, no entanto, no ciclo final de nosso modelo, ou seja, ao nível dos rendimentos percebidos pelos indivíduos. Enquanto que os rendimentos médios auferidos pelos indivíduos não-brancos em 1976 atingia a cifra de Cr$ 1.615,00, o valor correspondente para o grupo branco era superior ao dobro daquela cifra, atingindo um valor médio de Cr$ 3.394,00. Evidentemente, cada uma dessas diferenças pode ser totalmente explicável pelas diferenças observadas no ciclo anterior e, em última análise, serem todas explicáveis pelas diferenças nas variáveis de *background* familiar que caracterizam os dois grupos raciais. Essa, aliás, parece ser precisamente a hipótese explicativa dominante na literatura sociológica brasileira, conforme já foi apontado alhures,[5] na qual a presente situação sócio-econômica dos grupos de cor é vista como uma mera decorrência da situação desigual em seus pontos de partida, um mero legado do já distante passado escravista. Cabe, portanto, examinar a plausibilidade dessa hipótese frente aos dados de que dispomos e utilizando como arcabouço teórico o modelo de ciclo de vida sócio-econômica proposto anteriormente.

Para tal, o primeiro passo é nos concentrarmos no primeiro ciclo do modelo, ou seja, a realização educacional dos indivíduos, e nos perguntarmos qual seria o efeito de uma equalização entre brancos e não-brancos no que diz respeito às características de *background* familiar. Ou, inversamente, a questão pode ser colocada em termos do que deveríamos esperar se brancos e não-brancos não fossem caracterizados pelas profundas diferenças de chances ao longo do processo de realização sócio-econômica como de fato parecem ser. Várias são as alternativas metodológicas para responder a essa questão, sendo que aqui seguiremos a solução proposta por Duncan[6] e que aplicada aos nossos dados resulta nos valores apresentados na Tabela 8.

Como vimos anteriormente, o grupo branco apresenta um nível médio de escolaridade de cerca de 4,5 anos. Na hipótese de que brancos e não-brancos não diferissem em termos das chances de realização educacional, ou seja, tivessem uma função de escolaridade idêntica à dos não-brancos quanto aos parâmetros da mesma, o nível de realização educacional dos brancos decresceria para aproximadamente 3,6 anos de escolaridade. Em outras palavras, aplicando à equação de escolaridade dos não-brancos as médias das variáveis de *background* familiar dos brancos, obtemos uma redução na realização educacional de cerca de 0,9 ano de escolarização, o que representa, sem dúvida, uma redução bastante substancial. No entanto, a diferença total entre brancos e não-brancos no que diz respeito a nível de instrução é de cerca de 1,6 anos, restando, portanto, sem explicação, uma diferença de aproximadamente 0,7 ano. Essa última diferença, não explicada pelas diferenças no nível sócio-econômico das famílias de origem entre os dois grupos raciais, e que compõe mais de 40% da diferença total na realização educacional entre os dois grupos, representa o tratamento desigual que os não-brancos recebem ao longo do processo educacional e se adiciona à desvantagem competitiva que os

TABELA 8

DECOMPOSIÇÃO DAS DIFERENÇAS DE MÉDIAS ENTRE BRANCOS (B) E NÃO-BRANCOS (N) COM RESPEITO A NÍVEL DE INSTRUÇÃO, STATUS OCUPACIONAL E RENDIMENTOS DO RESPONDENTE — BRASIL (1976)

Nível de instrução	Status ocupacional	Rendimentos	Componente*
(B) 4,520	(B) 14,802	(B) 3.393,761	
0,941	2,191	880,560	1) Background
3,579	12,611	2.513,201	
0,567	0,816	216,508	2) Nível de instrução
	11,795	2.296,693	
	1,202	184,440	3) Status ocupacional
		2.112,253	
		497,387	4) Rendimentos
(N) 2,912	(N) 10,593	(N) 1.614,866	
1,608	4,209	1.778,895	5 Diferença total

* Diferença devida a:

1) Nível sócio-econômico da família de origem (ocupação e educação do pai, região de origem e situação do domicílio).
2) Nível de instrução do respondente, controlado o nível sócio-econômico da família de origem.
3) Status ocupacional do respondente, controlados o nível da família de origem e nível de instrução do respondente.
4) Rendimentos, controlados o nível da família de origem, nível de instrução e ocupação do respondente.
5) Diferença total, (B) menos (N) = soma dos correspondentes de (1) a (4).

FONTE: IBGE, ob. cit.

indivíduos de cor sofrem em relação aos brancos devido a um posicionamento inferior na estrutura social no limiar de seu ciclo de vida sócio-econômica. Caracteriza-se, pois, como muito substancial a discriminação racial no processo de escolarização.

Prosseguindo para o estágio seguinte em nosso modelo do ciclo de vida, examinemos agora as diferenças raciais na realização ocupacional. Como já foi visto, brancos apresentam um *score* médio de aproximadamente 14,8 na escala de *status* ocupacional, sendo esse *score* cerca de 4,2 pontos mais elevados do que o valor correspondente para o grupo não-branco. Na hipótese da eliminação dos efeitos das diferenças raciais nos níveis sócio-econômicos das famílias de origem, o grupo branco teria reduzido o seu nível de realização ocupacional de aproximadamente 2,2 pontos, o que representa, sem dúvida, uma redução muito substancial. Essa redução mostra claramente que a maior parte (cerca de 52%) das diferenças raciais na realização ocupacional pode ser atribuída às diferenças nos níveis de *background* familiar dos quais os dois grupos raciais iniciam a sua vida sócio-econômica. Se, após eliminarmos os efeitos do nível sócio-econômico da família de origem, eliminarmos também as diferenças no nível de instrução entre os dois grupos raciais, teremos uma redução adicional de aproximadamente 0,8 ponto na escala ocupacional. Assim, a eliminação dos efeitos das diferenças nos estágios anteriores do nosso modelo de ciclo de vida resultou numa redução total de aproximadamente 3 pontos na diferença entre brancos e não-brancos no que diz respeito à realização ocupacional. Ou seja, aplicando à equação de realização ocupacional dos não-brancos às médias das variáveis antecedentes do grupo branco, obtemos um nível estimado de realização ocupacional de cerca de 11,8 pontos, o que, comparando com o nível estimado para os não-brancos, ainda resulta numa diferença não explicada de aproximadamente 1,2 ponto, representando 29% da diferença originalmente encontrada. Portanto, mesmo que brancos e não-brancos se encontrassem em pé de igualdade frente ao mercado de trabalho, ainda assim os indivíduos do grupo branco apresentariam em média um nível de realização ocupacional mais de 10% superior ao nível atingido pelos não-brancos.

Essa persistente diferença configura, pois, a existência de discriminação no processo de alocação de posições na estrutura ocupacional, os indivíduos do grupo não-branco estando claramente em desvantagem no que tange à obtenção de empregos e ao subseqüente processo de mobilidade ocupacional.

Finalmente, quando movemos para o último estágio do nosso modelo do ciclo de vida sócio-econômico, o padrão que encontramos é essencialmente o mesmo que observamos nos estágios anteriores. Após a aplicação dos valores médios das variáveis de *background* familiar para o grupo branco na equação para o grupo não-branco, obtemos um valor estimado de Cr$ 2.513,20, o que comparado com os Cr$ 3.393,80 estimados como níveis de rendimentos reais para o grupo branco representa uma redução muito substancial de Cr$ 880,60, ou seja, quase 50% da diferença original observada entre os dois grupos raciais. A inclusão dos estágios subseqüentes no modelo do ciclo de vida reduz ainda mais essa diferença. O controle das diferenças raciais na realização escolar acrescenta Cr$ 216,50 na redução total, com mais de Cr$ 184,40 sendo acrescentados quando se controla adicionalmente as diferenças em realização ocupacional entre os grupos raciais. Assim, se brancos estivessem numa situação de perfeita igualdade no que diz respeito a todas as variáveis anteriormente incluídas, ou seja, *background* familiar, nível de instrução e *status* ocupacional, em relação aos não-brancos, nós observaríamos um nível médio de rendimento para aquele grupo aproximadamente Cr$ 2.112,20. Este valor estimado representa ainda uma diferença não explicada de cerca de 28% da diferença originalmente observada nos rendimentos dos dois grupos raciais, o que sem dúvida indica um alto nível de discriminação salarial contra negros e mulatos.

É importante ainda que se observe em relação às diferenças raciais na distribuição de rendimentos que, se por um lado as diferenças na situação de origem dos indivíduos explicam quase metade das diferenças de rendimentos observadas, a metade restante dessa diferença é explicável pela discriminação sofrida por não-brancos ao longo do processo de realização sócio-econômica. As desvantagens se acumulam a cada estágio do ciclo de vida dos indivíduos, tornando extremamente elevado o custo monetário de não se pertencer à maioria branca da sociedade brasileira.

Conclusão

No presente trabalho tentamos mostrar que, contrariamente à visão predominante na literatura sobre relações raciais no Brasil, não se pode atribuir toda a responsabilidade pelas atuais diferenças de nível sócio-econômico entre brancos de um lado e negros e mulatos por outro à desigualdade sofrida durante um remoto passado escravista. Mostrou-se que ao longo de todo o ciclo de vida sócio-econômico negros e mulatos sofrem desvantagens geradas por atitudes discriminatórias, desvantagens que se acumulam na geração de chances de vida profundamente inferiores àquelas desfrutadas por brancos. Negros e mulatos estão sujeitos à discriminação no processo escolar, à discriminação no emprego, bem como a discriminação salarial. Essas desvantagens competitivas agem cumulativamente, explicando a maior parte das diferenças monetárias entre brancos e não-brancos e chegando a atingir mais de 50% dos rendimentos percebidos por negros e mulatos.

De um ponto de vista de políticas públicas, o evidenciamento de processos discriminatórios põe em questão a suposta democracia racial brasileira e coloca em debate as estratégias para corrigir essas "imperfeições" do mercado de trabalho.

6

Raça e mobilidade social

ESTE CAPÍTULO RETOMA ANÁLISES anteriores sobre as desigualdades raciais no Brasil, utilizando dados da Pesquisa Nacional por Amostra de Domicílios (PNAD) de 1976. Seus propósitos principais são descrever a estrutura contemporânea das desigualdades raciais e avaliar o papel da raça na transmissão intergeracional das desigualdades sociais.

Uma rápida revisão da literatura sobre relações raciais no Brasil permite distinguir três linhas principais de pesquisa sobre as relações entre raça, desigualdades sociais e estratificação social. A interpretação oficial dada hoje às relações de raça teve sua versão acadêmica formulada no início dos anos 1930 por Gilberto Freyre. Ao enfatizar as contribuições positivas de africanos e ameríndios à cultura brasileira, este autor subverteu as suposições racistas de analistas sociais contemporâneos como Oliveira Vianna. Ao mesmo tempo, Freyre criou a arma ideológica mais formidável contra os negros. Sua ênfase na plasticidade da cultura do colonizador português e na ampla miscigenação da população brasileira o conduziram à noção de uma democracia racial. O corolário implícito desta idéia é a ausência de preconceito e discriminação raciais e, conseqüentemente, a existência de oportunidades econômicas e sociais iguas para brancos e negros.[1]

O pensamento de Freyre influiu sobre outra linha de pesquisa desenvolvida por sociólogos e antropólogos que estudaram as relações raciais nas áreas rurais e urbanas do norte do Brasil durante as décadas de 1940 e 1950.[2] Não obstante a abrumadora evidência de uma forte correlação entre cor e *status* social, estes estudiosos, impressionados pelas diferenças mais notórias entre os sistemas raciais dos Estados Unidos e do Brasil, desenfatizaram a discriminação racial e seus efeitos sobre a mobilidade social dos não-brancos. Algumas de

Este capítulo é de autoria de Carlos A. Hasenbalg e foi originalmente publicado em Pierre-Michel Fontaine (ed.), *Race, Class and Power in Brazil*, Center for Afro-American Studies, UCLA, 1985, cap. 3.

suas principais conclusões são: 1) há preconceito no Brasil, mas ele está baseado na classe mais do que na raça; 2) a forte consciência de diferenças de cor não está relacionada à discriminação; 3) os estereótipos depreciativos e os preconceitos contra os negros se manifestam verbalmente mais do que no comportamento; e d) outras características tais como a riqueza, a ocupação e a educação são mais importantes do que a raça na determinação de padrões de relações interpessoais. Numa conclusão inconsistente, em que mito, fato e desejo coexistem, C. Wagley afirma:

> Não há barreiras raciais sérias para o avanço social e econômico e, à medida que aumentam as oportunidades, maior número de pessoas ascenderá no sistema social. O grande contraste nas condições sociais e econômicas entre o estrato inferior mais escuro e a classe alta predominantemente branca desaparecerá. Não obstante isso, existem perigos no caminho para este ideal. Existem indicações tanto no presente estudo como nos informes das grandes regiões metropolitanas do país de que está aparecendo discriminação, tensões e preconceitos baseados na raça.[3]

Uma terceira linha importante de pesquisa foi desenvolvida em São Paulo nas décadas de 1950 e 1960. As relações raciais foram analisadas dentro do processo mais geral de transição de uma sociedade escravista agrária para uma sociedade industrial capitalista. O influente trabalho de Florestan Fernandes focaliza a integração do negro no mercado de trabalho livre e na emergente sociedade de classes.[4] No seu diagnóstico da situação social e econômica dos negros nas décadas imediatamente posteriores à abolição vincula-se a discriminação e a preferência por trabalhadores brancos europeus com uma explicação de deficiência cultural em que é sublinhada a falta de preparação dos ex-escravos para os papéis de homens e trabalhadores livres. Além disso, o preconceito e a discriminação raciais são vistos como requisitos funcionais da sociedade escravista mas como incompatíveis com os fundamentos legais, econômicos e sociais da sociedade de classes. Assim, as manifestações de preconceito e discriminação racial depois da abolição são conceitualizadas como sobrevivências anacrônicas do passado escravista, fenômenos de atraso cultural. Avaliações relativamente ambíguas do presente e futuro das relações raciais derivam-se desta abordagem. Apesar de afirmativas moderadamente otimistas sobre a integração do negro em "posições de classe típicas", esta perspectiva encontra sérias dificuldades para dar conta da evidência atual de preconceito e discriminação e da contínua subordinação social dos negros.

Sendo assim, ora a raça teve negado seu papel na geração de desigualdades raciais, ora o preconceito foi reduzido a um fenômeno de classe (onde a raça é apenas um indicador secundário do *status* social), ou a discriminação constituiria um simples legado cultural de um passado já distante. Nenhuma das principais perspectivas sobre relações raciais no Brasil considerou com seriedade a possibilidade da coexistência entre racismo e desenvolvimento capitalista industrial.

Em trabalhos anteriores o autor ofereceu uma interpretação alternativa da reprodução das desigualdades raciais no Brasil e das relações entre raça, o sistema de classes e a mobilidade social.[5] Do ponto de vista teórico, foi discutida a interpretação onde as relações raciais pós-abolição são vistas como uma área residual de fenômenos sociais, resultante de padrões "arcaicos" de relações intergrupais formados no passado escravista. Contra esta argumentação foi sugerido que: a) preconceito e discriminação raciais não se mantêm intactos após a abolição, adquirindo novas funções e significados dentro da nova estrutura social; e b) as práticas racistas do grupo racial dominante, longe de serem meras sobrevivências do passado, estão funcionalmente relacionadas aos benefícios simbólicos e materiais que os brancos obtêm da desqualificação competitiva do grupo negro e mulato. Neste sentido, parece não existir nenhuma lógica inerente ao desenvolvimento capitalista que leve a uma incompatibilidade entre racismo e industrialização. A raça, como atributo adscrito socialmente elaborado, continua a operar como um dos critérios mais importantes no recrutamento às posições da hierarquia social.

No que diz respeito às desigualdades raciais contemporâneas, foram questionadas as interpretações que enfatizam o legado escravista — anomia, desorganização social e familiar — e os pontos de partida diferentes dos grupos branco e não-branco no momento da abolição. Frente a este tipo de argumento, foi sugerido que a força da escravidão como fator explicativo da posição social e econômica de negros e mulatos decresce com o transcurso do tempo. Quanto mais longe se está da abolição, menos se pode invocar o escravismo como causa da subordinação social atual dos não-brancos. Inversamente, a ênfase na explicação deve ser dada às relações estruturais e ao intercâmbio desigual entre brancos e não-brancos no presente.

No diagnóstico das desigualdades raciais contemporâneas concedeu-se primacia explicativa a dois determinantes básicos: a desigual distribuição geográfica de brancos e não-brancos e as práticas racistas do grupo racial dominante.

Em relação ao primeiro aspecto, observou-se que um número desproporcional de negros e mulatos vive nas regiões predominantemente agrárias e mais subdesenvolvidas do Brasil, onde as oportunidades econômicas e educacionais são muito menores que no sudeste, onde se concentra parcela majoritária da população branca. Este padrão de segregação geográfica dos dois grupos raciais foi inicialmente condicionado pelo funcionamento do sistema escravista e posteriormente reforçado pelas políticas de estímulo à imigração européia implementadas pelo sudeste.

No que diz respeito ao racismo, além dos efeitos dos comportamentos discriminatórios, uma organização social racista também restringe a motivação e o nível de aspirações das pessoas não-brancas. Quando se consideram os mecanismos que obstruem a mobilidade social ascendente dos não-brancos, às práticas discriminatórias dos brancos (sejam elas sutis ou abertas) devem ser acrescentados os efeitos de bloqueio derivados da internalização de uma auto-imagem desfavorável por parte daqueles que não são brancos. Desta forma, as práticas discriminatórias, a evitação de situações discriminatórias e a violência simbólica perpetrada contra os não-brancos se reforçam mutuamente, fazendo com que normalmente negros e mulatos regulem suas aspirações de acordo com o que é culturalmente imposto e definido como o "lugar apropriado" para pessoas de cor.

A estrutura das desigualdades raciais

As seguintes observações, baseadas nas estimativas da PNAD/76, têm um caráter descritivo e pretendem oferecer um quadro atualizado das desigualdades raciais no Brasil. Para isso, serão consideradas as distribuições dos grupos branco e não-branco em um conjunto de variáveis sócio-econômicas e demográficas. Para tal propósito, designa-se como não-brancos a soma do que os censos e a PNAD categorizam como pretos e pardos, excluindo-se a categoria "amarelos". Em todas as dimensões analisadas, os pardos ocupam uma posição intermediária entre brancos e pretos, se bem que essa posição esteja sempre mais próxima do grupo preto.

Sempre que possível, será feita uma referência comparativa à situação em 1950, último corte temporal que pode ser tomado como base para acompanhar a evolução das desigualdades raciais nas últimas décadas.

Sem dúvida, um estudo mais detalhado da evolução das desigualdades raciais deveria levar em conta o impacto diferencial das políticas econômicas e sociais implementadas nos últimos trinta anos sobre cada um dos grupos raciais. A título de simples hipótese, basta assinalar aqui que, devido à concentração de negros e mulatos na base do sistema de estratificação, os eventuais ganhos sócio-econômicos experimentados pela população não-branca urbana entre 1945 e 1964, devem ter sido contrabalançados por uma deterioração relativa da situação no período posterior a 1964.

Como já foi assinalado, um dos determinantes básicos da apropriação desigual das oportunidades econômicas e educacionais está relacionado à segregação geográfica da população branca e não-branca. A Tabela A do Apêndice mostra as modificações na distribuição espacial dos dois grupos entre 1940 e 1976, segundo as regiões da PNAD. O quadro que segue resume a informação, indicando a concentração dos dois grupos na região sudeste.

CONCENTRAÇÃO PROPORCIONAL DA POPULAÇÃO NO SUDESTE, SEGUNDO COR, 1940-76

	1940 %	1950 %	1960 %	1976 %
Pretos e pardos	18	18	19	31
Brancos	52	56	59	69

FONTES: Censos Demográficos de 1950, 1960 e PNAD/76. O sudeste está formado por RJ, SP, PR, SC e RS.

Apesar de haver motivos para pensar que as estimativas da PNAD/76 superestimam o aumento da concentração de não-brancos no sudeste, esse grupo teria melhorado ligeiramente sua distribuição geográfica, deslocando-se, através de migrações internas, para a região mais desenvolvida do país.[6] Contudo, a polarização geográfica dos dois grupos raciais continua sendo acentuada, com quase 70% da população branca residindo no sudeste e idêntica proporção de pretos e pardos concentrados no resto do país, fundamentalmente nos estados do Nordeste (47,2%), Minas Gerais e Espírito Santo (14,1%).

Um dos efeitos da distribuição geográfica dos grupos de cor entre regiões desigualmente desenvolvidas manifesta-se no local de residência desses grupos. Neste respeito, a população branca apresenta uma proporção mais elevada de residentes em áreas urbanas.

SITUAÇÃO DO DOMICÍLIO, SEGUNDO SEXO E COR, 1976
POPULAÇÃO URBANA

	Brancos %	Não-brancos %
Homens	62.5	56.8
Mulheres	64.7	59.9
Total	63.6	58.4

Apesar de não existir informações sobre a situação do domicílio de brancos, pardos e pretos em períodos anteriores, é possível sugerir que tenha ocorrido uma diminuição no diferencial de residência rural-urbana entre esses grupos nas últimas duas décadas. Caso isto pudesse ser verificado, uma causa possível poderia estar na desaceleração do ritmo de urbanização da população branca que, concentrada majoritariamente no sudeste, está mais próxima do ponto de saturação do processo. Seja como for, através das migrações internas dirigidas à região sudeste e dos fluxos rural-urbano fora do sudeste, o grupo não-branco tem acompanhado o ritmo acelerado de urbanização da população do país.

Uma outra dimensão das desigualdades raciais está constituída pelo acesso ao sistema educacional e às oportunidades de escolarização. Entre outros motivos, a participação no processo educacional formal é fundamental para negros e mulatos já que, em comparação com o grupo branco, a educação constitui o recurso mais importante no processo de mobilidade social.[7]

Considerando primeiro o nível de alfabetização, o quadro que segue mostra as diferenças entre os grupos raciais em 1950 e 1976.

TAXAS DE ALFABETIZAÇÃO DAS PESSOAS DE 5 ANOS MAIS, SEGUNDO COR. 1950-1976

	1950	1976
Brancos	52.7	78.4
Não-brancos	25.7	59.8

Entre ambas as datas os não-brancos elevaram significativamente sua taxa de alfabetização, diminuindo as diferenças com relação ao grupo branco. Em 1950, as pessoas brancas tinham uma possibilidade 2 vezes maior que os não-brancos de serem alfabetizadas, a mesma possibilidade sendo 1,3 vezes maior em 1976. Contudo, a proporção de analfabetos entre negros e mulatos é o dobro da dos brancos, destacando-se em particular a categoria de pretos, com 47,5% de analfabetos. Em termos de local de residência, em 1976 as desvantagens educacionais dos não-brancos eram mais acentuadas nas regiões rurais. Entre a população urbana, os níveis de alfabetização eram de 84,9% para brancos e 72,1% para não-brancos, enquanto que na população rural as proporções correspondentes eram de 64,5% e 41,7%.

Se as diferenças raciais nas oportunidades de alfabetização persistem, ainda que em diminuição, o grau de desigualdade ou exclusão experimentado por negros e mulatos aumenta rapidamente quando são considerados níveis mais altos de instrução. A Tabela B do Apêndice mostra a distribuição, em 1976, de pessoas brancas e não-brancas na hierarquia educacional.

Os dados evidenciam acentuadas desigualdades de oportunidades educacionais. Em comparação com os brancos, os fatos mais notórios são: a) a elevada concentração (46%) de não-brancos na categoria de sem instrução e menos de um ano de estudo; b) a proporção significativamente menor de não-brancos que conseguem completar entre 5 e 8 anos de estudos; e c) a percentagem insignificante de negros e mulatos que cursaram 9 ou mais anos de estudo. Desta forma, os brancos têm uma oportunidade 1,55 vezes maior que os não-brancos de completar entre 5 e 8 anos de estudo e uma oportunidade 3,5 vezes maior de cursar 9 ou mais anos de estudo.

Levando em conta que a categoria de 9 ou mais anos de estudo (onde se localizam somente 3,5% de não-brancos), inclui um grupo maior dos que ingressaram no 2.º ciclo médio e outro menor dos que cursaram estudos universitários, é possível concluir que o grupo de mulatos e negros ficou praticamente excluído do *boom* universitário ocorrido no país nos últimos 15 anos.

A próxima dimensão das desigualdades raciais a ser analisada refere-se à participação de brancos e não-brancos na força de trabalho, considerando-se os diversos setores de atividade econômica. A Tabela C do Apêndice oferece a informação pertinente.

A primeira constatação tem a ver com a concentração desproporcional de não-brancos nos setores agrícola, indústria de construção e prestação de serviços, que englobam as ocupações menos qualificadas e pior remuneradas. Esses três setores absorviam 68% dos não-brancos e 52% dos brancos economicamente ativos. Inversamente, os não-brancos estavam sub-representados nos setores de outras atividades, comércio de mercadorias e indústria de transformação, cujas ocupações exigem maiores qualificações e são melhor remuneradas.

A agregação diferente dos setores de atividade econômica no censo de 1950 e na PNAD/76 não permite acompanhar com precisão as modificações na estrutura setorial de emprego dos dois grupos. Não obstante isso, é possível formular algumas observações.

Com relação ao emprego na agricultura, a situação da mão-de-obra não-branca sofreu uma deterioração no período. Em 1950, 54% de brancos e 64% de não-brancos trabalhavam no setor. O diferencial de 10% de 1950 ampliou-se para 12% em 1976, quando 44% de não-brancos e 32% de brancos estavam absorvidos na agricultura. Visto de outra maneira, em 1950 a população não-branca fornecia 42% da força de trabalho do setor agrícola, aumentando sua participação para 48% em 1976.

Na indústria de transformação, apesar de sub-representados, os não-brancos mantiveram sua participação relativa no setor entre 1950 e 1976. No comércio de mercadorias, o emprego de não-brancos cresceu mais rapidamente que o dos brancos entre ambas as datas. A participação de negros e mulatos aumentou de 2,9% para 7,5% e a dos brancos de 7,2% para 10,6%. Porém, esta informação deve ser interpretada com cautela, já que junto com o aumento dos empregados não-brancos do comércio pode ter crescido mais do que proporcionalmente o número deles engajados no comércio de baixa produtividade, na condição de autônomos e vendedores ambulantes.

Por último, a absorção dos dois grupos na prestação de serviços e transportes e comunicações aumentou pouco e em proporções similares, enquanto em outras atividades o emprego de não-brancos, partindo de um patamar muito baixo em 1950, cresceu mais rapidamente que o dos brancos.

Em linhas gerais, é possível concluir que as disparidades na distribuição setorial dos dois grupos raciais têm se atenuado parcialmente, não obstante a direção dos desequilíbrios na estrutura de empregos ser a mesma que a observada em 1950.

Finalmente, resulta lógico esperar que as desigualdades registradas na distribuição regional, qualificação educacional e estrutura do emprego de brancos e não-brancos determinem fortes disparidades na distribuição de renda. A informação da Tabela D do Apêndice não requer maiores comentários. Entre as pessoas não-brancas com rendimentos, 53,6% recebiam uma renda de até um salário mínimo. No caso do grupo preto essa proporção aumenta para 59,4% enquanto somente 32,2% dos brancos situava-se nessa faixa de rendimentos. No extremo oposto da distribuição, 23,7% de brancos e 14,5% de não-brancos obtinham mais de 2 a 5 salários mínimos; por sua vez 16,4% dos brancos e 4,2% de não-brancos tinham rendimentos superiores a 5 salários mínimos.

A perpetuação das desigualdades raciais

Na introdução deste trabalho foi sugerido que as causas das desigualdades raciais não só devem ser procuradas no passado, mas que elas também operam no presente. O racismo, através de práticas discriminatórias dos brancos e da estereotipação cultural dos "papéis adequados" a negros e mulatos perpetua uma estrutura desigual de oportunidades sociais para brancos e não-brancos, desqualificando estes últimos da competição pelas posições na hirearquia social.

Em última análise, as duas interpretações em confronto podem ser assim formuladas: 1) negros e mulatos usufruem hoje as mesmas oportunidades que o grupo branco, e sua posição social inferior é devida ao ponto de partida desigual no momento da abolição, e 2) a subordinação social de negros e mulatos é devida ao diferente ponto de partida e à persistência de oportunidades desiguais de ascensão social.

Uma forma conveniente de dirimir as dúvidas consiste em estudar o processo de mobilidade social dos dois grupos raciais e assim determinar a existência ou não de oportunidades desiguais.

Nesta seção, o estudo da mobilidade social de brancos e não-brancos será desdobrado em três fases. Primeiro, será analisado o padrão global de mobilidade ocupacional intergeracional. Segundo, será estudada a forma como a posição social dos pais influi nas realizações educacionais dos entrevistados. Finalmente, será vista a forma como a educação adquirida pelos entrevistados condiciona o preenchimento de posições na hierarquia ocupacional.

Os dados sobre mobilidade social a serem usados são da PNAD/ 76 e referem-se unicamente a homens de 20 a 64 anos.[8] As matrizes de mobilidade ocupacional intergeracional para o total da amostra, brancos e não-brancos, encontram-se na Tabela E do Apêndice. Na análise desses dados, parte-se da suposição de igualdade de oportunidade ou "democracia racial". Isto significa que, dada a matriz de mobilidade intergeneracional da população total, as pessoas nascidas em famílias de certos *status* ocupacionais devem ter as mesmas oportunidades de obter certos destinos ocupacionais, independentemente da afiliação a um grupo racial. Multiplicando-se os marginais das fileiras das amostras de brancos e não-brancos pelas probabilidades da matriz de transição da amostra total, é possível calcular as freqüências esperadas na suposição de "democracia racial". O quadro seguinte mostra as diferenças entre as freqüências observadas e esperadas.

FREQÜÊNCIAS OBSERVADAS MENOS FREQÜÊNCIAS ESPERADAS
NA SUPOSIÇÃO DE DISTRIBUIÇÃO PROPORCIONAL À AMOSTRA
TOTAL PARA AMBOS GRUPOS RACIAIS

	Brancos				Não-brancos			
Ocup. do pai	A	NM	M	R	A	NM	M	R
Alta	24	0	−24	0	−26	1	26	−1
Não manual	32	23	−39	−16	−34	−24	39	19
Manual	54	54	−79	−29	−54	−56	82	28
Rural	38	83	−1	−120	−41	−92	−1	134

Enquanto na tabela dos brancos cinco das celas abaixo da diagonal principal apresentam valores positivos (cuja soma é 261), indicando um excesso de mobilidade ascendente, o oposto ocorre na tabela dos não-brancos, onde todas as celas abaixo da diagonal principal têm valores negativos (somando 271). Esta evidência sugere a rejeição de hipótese de igualdades de oportunidades e a conclusão que os não-brancos experimentam um déficit considerável de mobilidade social ascendente.

O quadro abaixo dá uma idéia mais apropriada dos fluxos de mobilidade ocupacional intergeneracional.

MOBILIDADE DA OCUPAÇÃO DOS PAIS ATÉ A OCUPAÇÃO
DOS ENTREVISTADOS, SEGUNDO GRUPOS RACIAIS

	Brancos					Não-brancos				
Ocup. do pai	A	NM	M	R		A	NM	M	R	
Alta	47,0	28,3	22,6	2,1	100,0	24,2	28,9	45,6	1,3	100,0
Não manual	21,4	39,3	31,0	8,3	100,0	12,5	33,0	41,4	13,1	100,0
Manual	14,8	24,2	57,2	3,8	100,0	7,2	16,3	68,7	7,8	100,0
Rural	4,1	12,2	37,9	45,8	100,0	2,0	7,6	37,9	52,5	100,0

Entre as pessoas nascidas no estrato de ocupações rurais, os brancos têm uma pequena vantagem, e as probabilidades maiores para os dois grupos são as de ascender às ocupações manuais urbanas. De qualquer forma, a proporção de auto-recrutamento é mais elevada entre os não-brancos (52,5%) do que entre os brancos (45,8%), enquanto 16,3% de brancos e 9,6% de não-brancos ascendem aos dois estratos ocupacionais superiores.

Os diferenciais inter-raciais de mobilidade passam a ser maiores ao considerar-se as pessoas nascidas nos estratos ocupacionais mais elevados. Entre os nascidos no estrato manual, não só os não-brancos têm um auto-recrutamento mais alto, como também 39% de brancos e só 23,5% de não-brancos ascendem aos dois estratos mais altos. Entre as pessoas nascidas no estrato não-manual 21,4% de brancos e só 12,5% de não-brancos ascendem ao estrato mais alto. Finalmente, entre os nascidos no estrato alto, os brancos apresentam um auto-recrutamento (47%) muito mais alto do que os não-brancos (24,2%).

Não só os diferenciais de mobilidade ascendente crescem ao se passar para os estratos mais altos, como também os não-brancos estão expostos a probabilidades muito mais elevadas de demoção ou mobilidade social descendente, como é notório no caso dos nascidos nos estratos não-manual e alto.

Considerando-se agora uma das etapas parciais da mobilidade social, será estudada a forma como o estrato social de origem, medido pela ocupação do pai, condiciona os níveis educacionais atingidos por brancos e não-brancos. A informação pertinente figura no quadro seguinte.

A constatação mais notória é que os entrevistados não-brancos mostram uma distribuição educacional mais concentrada na base, qualquer que seja o estrato social de origem que se adote como referência da comparação. Em todos os estratos ocupacionais de origem, é substancialmente maior a concentração de não-brancos nas categorias de analfabetos e alfabetizados.

Observando primeiro o estrato de origem mais baixo, nota-se que entre os filhos de trabalhadores manuais rurais 60% de não-brancos e 42,4% de brancos são analfabetos. No outro extremo, entre os filhos do estrato ocupacional alto, 33,5% de brancos e 12,4% de não-brancos cursaram estudos universitários. No mesmo estrato de origem, 60% de brancos e 39,4% de não-brancos foram além do nível educacional elementar. Entre os nascidos no estrato não-manual, as mesmas proporções são 21,4% de brancos e 13,7% de não-brancos.

EDUCAÇÃO DOS ENTREVISTADOS, SEGUNDO OCUPAÇÃO DO PAI, POR GRUPOS RACIAIS

Educação	Brancos ocupação do pai			
	Alta	Não manual	Manual	Rural
Superior	33,5	3,4	0,8	0,1
M. 1.º ciclo	13,0	5,0	2,1	0,2
M. 2.º ciclo	13,0	13,0	6,7	1,0
Elementar	29,6	44,8	41,7	24,8
Alfabetizado	8,6	24,9	32,6	31,5
Analfabeto	1,8	8,9	16,1	42,4
	100,0	100,0	100,0	100,0
	(439)	(1.318)	(1.649)	(3.869)

Educação	Não brancos ocupação do pai			
	Alta	Não manual	Manual	Rural
Superior	12,4	1,2	0,3	—
M. 1.º ciclo	9,0	2,8	0,8	0,1
M. 2.º ciclo	18,0	9,7	5,8	0,3
Elementar	37,2	36,2	36,4	14,0
Alfabetizado	12,4	30,2	30,0	25,6
Analfabeto	11,0	19,9	26,7	60,0
	100,0	100,0	100,0	100,0
	(151)	(525)	(1.225)	(3.550)

Por último, entre as pessoas originárias do estrato manual urbano 51,3% de brancos e 43,3% de não-brancos cursaram estudos primários ou foram além dos mesmos.

Em definitivo, controlando por origem social, negros e mulatos dispõem de oportunidades educacionais consideravelmente mais limitadas que os brancos.

Por último, considerando que o nível educacional das pessoas é um dos principais determinantes de sua inserção ocupacional, resta verificar como a educação adquirida por brancos e não-brancos se traduz em posições na hierarquia ocupacional.

OCUPAÇÃO DOS ENTREVISTADOS, SEGUNDO NÍVEL DE INSTRUÇÃO,
POR GRUPOS RACIAIS

	Brancos					
Ocupação	Analf.	Alfabet.	Element.	M. 1.º ciclo	M. 2.º ciclo	Sup.
Alta	2,9	8,4	45,2	35,9	45,4	54,0
Não manual	11,2	20,5	26,7	34,4	32,2	34,7
Manual	44,1	42,9	39,9	27,5	21,3	10,4
Rural	41,8	28,2	18,2	2,2	1,0	0,9
	100,0	100,0	100,0	100,0	100,0	100,0
	(2.116)	(2.237)	(2.527)	(404)	(183)	(222)
	Não brancos					
Ocupação	Analf.	Alfabet.	Element.	M. 1.º ciclo	M. 2.º ciclo	Sup.
Alta	1,7	4,2	9,0	20,5	27,9	37,9
Não manual	7,0	14,8	19,2	31,9	27,9	37,9
Manual	40,3	53,4	52,8	44,0	41,9	13,8
Rural	51,0	27,6	19,0	3,6	2,3	10,4
	100,0	100,0	100,0	100,0	100,0	100,0
	(2.534)	(1.477)	(1.206)	(166)	(43)	(29)

As informações do quadro permitem fazer duas constatações básicas. Primeiro, qualquer que seja o nível educacional considerado, os não-brancos se concentram mais do que proporcionalmente nos estratos ocupacionais inferiores. Ainda que a educação não seja o único determinante da inserção ocupacional, o caráter sistemático das diferenças deixa poucas dúvidas quanto à existência de mecanismo de discriminação racial no mercado de trabalho. Segundo, a magnitude das diferenças nas distribuições tende a se agravar ao se passar para os níveis educacionais mais elevados. Considere-se, por exemplo, a diferença percentual entre brancos e não-brancos que se localizam nos dois estratos ocupacionais mais alto. Essas diferenças são de 5,4% entre os analfabetos, 9,9% entre os alfabetizados, 13,7% no nível elementar, 17,9% no 1.º ciclo médio, 21,8% no 2.º ciclo médio, a tendência revertendo para 12,9% no nível superior. Esta constatação sugere que a exposição à discriminação racial na esfera ocupacional cresce junto com o nível educacional dos não-brancos.

Conclusões

Transcorridos mais de noventa anos desde a abolição do escravismo, negros e mulatos continuam concentrados nos degraus inferiores da hierarquia social. Em contraste com a população branca, parte majoritária da população não-branca localiza-se nas regiões menos desenvolvidas do país. Seu acesso ao sistema educacional é restringido, particularmente nos níveis de instrução mais elevados.

A participação de negros e mulatos no sistema produtivo está caracterizada pela concentração desproporcional nos setores de atividades que absorvem a mão-de-obra menos qualificada e pior remunerada. Por sua vez, os fatos mencionados determinam uma participação altamente desigual de brancos e não-brancos na distribuição de renda e na esfera do consumo do produto social.

Esse perfil de desigualdades raciais não é um simples legado do passado; ele é perpetuado pela estrutura desigual de oportunidades sociais a que brancos e não-brancos estão expostos. Negros e mulatos sofrem uma desvantagem competitiva em todas as etapas do processo de mobilidade social individual. Suas possibilidades de escapar as limitações de uma posição social baixa são menores que a dos brancos da mesma origem social, assim como são maiores as dificuldades para manter as posições já conquistadas.

Apêndice

A. DISTRIBUIÇÃO DA POPULAÇÃO PELAS REGIÕES DA PNAD, SEGUNDO A COR 1940-1976

Regiões	1940		1950		1960		1976	
	B	NB	B	NB	B	NB	B	NB
I — RJ	9,0	8,5	9,5	8,4	10,2	7,4	10,0	10,7
II — SP	23,4	5,9	24,5	5,2	24,8	6,9	27,5	10,7
III — Sul	19,6	3,5	21,9	4,0	24,4	4,6	26,3	9,4
IV — MG-ES	17,6	19,7	15,7	18,3	15,1	16,4	13,5	14,1
V — Nordeste	25,0	53,6	23,5	53,7	20,3	52,6	18,9	47,2
VI — Brasília	—	—	—	—	0,2	0,2	0,7	0,9
VII — Norte, GO, MT	5,4	8,8	4,9	10,4	5,0	11,9	3,1	7,0
	100,0	100,0	100,0	100,0	100,0	100,0	100,0	100,0

FONTE: Censos Demográficos de 1950, 1960 e PNAD/1976.

B. ANOS DE ESTUDO DAS PESSOAS DE 5 ANOS E MAIS DE IDADE SEGUNDO A COR (%), 1976

Anos de estudo	Classificação de cor			
	Branca	Parda	Preta	Não-brancos
Sem instrução e menos de um ano	26,7	44,3	52,4	46,0
1 a 4 anos	43,5	38,8	36,5	38,3
5 a 8 anos	18,7	12,9	9,1	12,1
9 anos e mais	11,0	3,9	1,9	3,5
Anos não declarados e sem declaração	0,1	0,1	0,1	0,1
	100,0	100,0	100,0	100,0
	(52.238.247)	(28.536.602)	(7.831.541)	(36.368.143)

FONTE: PNAD/76.

C. SETOR DE ATIVIDADE DAS PESSOAS DE 10 ANOS E MAIS DE IDADE, SEGUNDO A COR (%), 1976

Setores de atividade	Classificação de cor			
	Branca	Parda	Preta	Não-branca
Agrícola	31,8	43,5	44,6	43,8
Indústria (exceto construção)	18,2	13,4	12,9	13,3
Indústria da construção	5,5	7,6	8,3	7,7
Comércio de mercadorias	10,6	7,9	5,8	7,5
Prestação de serviços e serviços auxiliares da atividade econômica	14,6	15,4	19,4	16,3
Outras	19,3	12,2	9,0	11,4
	100,0	100,0	100,0	100,0
	(22.713.756)	(12.472.313)	(3.758.023)	(16.230.336)

FONTE: PNAD/76.

D. RENDIMENTO MENSAL DAS PESSOAS DE 10 ANOS E MAIS, SEGUNDO A COR (%), 1976

Rendimento mensal	Branca	Classificação de cor			
		Parda	Preta	Não-branca	
Até 1/2 salário mínimo	11,1	20,0	25,6	22,0	
Mais de 1/2 a 1	21,1	30,9	33,8	31,6	
Mais de 1 a 2	27,7	28,0	26,4	27,7	
Mais de 2 a 5	23,7	15,3	12,0	14,5	
Mais de 5 salários mínimos	16,4	4,9	2,2	4,2	
	100,0	100,0	100,0	100,0	
	(3.135.160)	(11.964.771)	(3.747.913)	(15.712.684)	

FONTE: PNAD/76.

E. MOBILIDADE OCUPACIONAL INTERGENERACIONAL DOS HOMENS DE 20 A 64 ANOS, SEGUNDO GRUPOS DE COR

Ocupação do pai **	Total da amostra *			
	Ocupação do entrevistado			
	A	NM	M	R
Alta	249	169	169	12
Não manual	363	719	648	182
Manual	339	613	1.822	163
Rural	245	801	2.982	3.838

Ocupação do pai	Brancos			
	A	NM	M	R
Alta	206	124	99	9
Não manual	287	528	416	112
Manual	247	403	955	63
Rural	164	497	1.535	1.858

Ocupação do pai	Não-brancos			
	A	NM	M	R
Alta	36	43	68	2
Não manual	65	171	215	68
Manual	87	198	835	95
Rural	69	269	1.339	1.860

FONTE: PNAD/76.

* A amostra total inclui também as categorias de cor amarela e sem informação.

** Constituição das categorias ocupacionais. Alta: profissionais liberais, proprietários e administradores. Não manual: funções burocráticas e auxiliares, pequenos proprietários da agropecuária, pequenos proprietários de comércio e serviços, funções subalternas de administração. Manual: trabalhadores manuais de indústrias modernas, trabalhadores não qualificados em serviços, trabalhadores manuais de indústrias tradicionais, serviço doméstico e pessoal, vendedores (comércio e retalho). Rural: trabalhadores manuais do setor primário.

7

As imagens do negro na publicidade

NO REGISTRO QUE O BRASIL tem de si mesmo o negro tende à condição de invisibilidade. Alguns exemplos servem para ilustrar as manifestações sintomáticas desta tendência: o lugar irrisório que a historiografia destina à experiência e contribuição do negro na formação desta sociedade; a queima dos documentos relativos ao tráfico de escravos e ao regime escravista; a retirada do quesito sobre a cor da população nos censos demográficos de 1900, 1920 e 1970, e a negação obstinada de discutir a existência de qualquer problema de índole racial.

O intento de fazer do negro um ser invisível não deveria chamar a atenção em uma cultura que, proclamando-se racialmente democrática, está permeada pelo ideal obsessivo do embranquecimento. Basta lembrar os fatos pertinentes. Enquanto milhares de trabalhadores chineses chegavam a Cuba, Peru e à costa oeste dos Estados Unidos, o Brasil era o único país das Américas que, tendo passado pela experiência do escravismo, nos anos posteriores à abolição utilizou fartos recursos públicos para subsidiar a imigração européia e assim evitar a "mongrelização" do país. Depois do episódio da imigração japonesa, o Dec.-lei 7.969/45 destinava-se a garantir à "composição étnica da população as características mais convenientes da sua ascendência européia". Entretanto, o resultado demográfico do ideal de embranquecimento, através do processo de miscigenação, foi a redução gradual do segmento propriamente negro da população e o reforçamento da propalada "meta-raça" mestiça. Esta "tirada de cena" do negro pode ser vista como uma forma de resolver a tensão entre os sentimentos de superioridade branca e a culpa de infringir os ditames da mitologia racial vigente.

Este capítulo é de autoria de Carlos A. Hasenbalg e foi originalmente publicado em edição já esgotada do livro *Lugar de Negro*, Rio de Janeiro, ed. Marco Zero, 1982. Agradecemos a esta editora pela autorização para republicar o trabalho.

Por sua vez, o escamoteamento do registro histórico e a invisibilidade do negro relacionam-se com o processo de construção de sua identidade. Apesar dos intentos em sentido contrário, a identidade do negro está basicamente definida pelo branco. Neste ponto é necessário distinguir duas identidades. A primeira, de caráter público e oficial, deriva das concepções formuladas por Gilberto Freyre na década de 1930. Neste caso a identidade do negro está balizada pelos parâmetros de uma democracia racial; o negro é um brasileiro como qualquer outro e, como tal, não está sujeito a preconceitos e discriminações. A segunda identidade corresponde ao plano privado e incorpora duas dimensões. Uma delas, a nível mais consciente e deliberado, traduz aquilo que, à boca pequena e em conversa entre brancos, constitui o repertório de ditados populares carregados de imagens negativas sobre o negro. A outra, em plano mais inconsciente, corresponde à estereotipação dos papéis e lugares do negro. Nesta dimensão o negro é representado ora como trabalhador braçal, não qualificado, ora como aquele que ascendeu socialmente pelos canais de mobilidade considerados legítimos para o negro. Este último grupo está constituído por pessoas ligadas a atividades de diversão tais como jogadores de futebol, artistas, cantores e compositores de música popular.

A tipificação cultural do negro nos pólos de trabalhador desqualificado e *entertainer* remete, por sua vez, a outro elemento em comum, condensado em atributos do corpo: vigor e resistência física, ritmo e sexualidade. Ao negar outras características, a estereotipia nega o negro que não encaixa nesses dois pólos: o operário qualificado, o empregado de escritório, o bancário, o universitário etc.

As noções de invisibilidade e de identidade pública e privada imposta pelo branco providenciam os elementos conceituais mínimos para analisar as imagens do negro apresentadas na publicidade. Na medida em que a publicidade opera segundo a linha de menor resistência e que sua função é vender produtos ao maior número possível de pessoas e não mudar estereótipos, a expectativa inicial é que ela tende a reproduzir as manifestações de racismo presentes na cultura. Dentre as diferentes modalidades de publicidade, optou-se pela observação daquela veiculada pela televisão e um conjunto de revistas. A observação resultou no registro de 117 anúncios publicitários transmitidos pelos três canais comerciais da televisão do Rio de Janeiro e 87 anúncios publicados em sete revistas selecionadas.[1]

A primeira constatação derivada desse conjunto de anúncios relaciona-se diretamente à invisibilidade do negro e à auto-imagem embranquecida do Brasil. Segundo a estimativa mais atualizada, proveniente da PNAD/76, a população do país contava com 41% de pretos e pardos. No mundo da publicidade a realidade é outra. Em um total de 203 anúncios publicitários de revistas e televisão o negro está presente em apenas nove, sendo que em três deles aparece em propagandas do governo, de caráter não comercial. Desta acentuada desproporção pode-se derivar a conclusão de que no raciocínio do publicitário o negro quase que inexiste como consumidor. A limitada capacidade aquisitiva da população negra poderia dar conta da ausência de apelos publicitários ao negro como consumidor potencial de carros de luxo, banheiras com hidro-massagem e sofisticados equipamentos de som. Não obstante isso, o leque de produtos anunciados inclui uma variedade de bens e serviços de consumo popular difundida. Na lógica subjacente à publicidade a pergunta possivelmente é: se anunciando para brancos o negro também compra, por que arriscar-se a "denegrir" a imagem do produto? [2]

Constatada a invisibilidade do negro na publicidade, o próximo passo consiste em determinar como e em que circunstâncias ele faz suas raras aparições. Como as aparições são raras, elas permitem um exame caso a caso, começando com as propagandas governamentais na televisão.

A primeira delas é uma campanha de recrutamento de marinheiros para a Armada e mostra um grupo de marinheiros de várias cores, de branco a negro, executando tarefas no convés de proa de um navio de guerra. A mensagem transmitida nesta tarefa de equipe apela para a defesa da pátria, tarefa de todo brasileiro, independentemente da cor. A segunda propaganda do governo consiste em uma campanha de alistamento nas Forças Armadas. Ela mostra um jovem negro navegando em canoa um rio, dirigindo-se à cidade mais próxima para apresentar-se no posto de alistamento. O anúncio insinua a presença do negro que, no cumprimento de um dever cívico, transita confiante e de maneira desimpedida pelo mundo dos brancos, neste caso representado pelo funcionário da junta de alistamento. A última propaganda governamental é uma campanha de vacinação contra o sarampo e mostra um grupo de crianças pobres, brancas e negras, que constituem a população alvo da campanha. Além de mostrar a preocupação do governo com a saúde da população, particularmente das camadas mais carentes, uma das mensagens implícitas reside na inexistência de divisões raciais no seio do povo. Estas três aparições do negro na publicidade filiam-se a sua identidade oficial. Os anúncios estão isentos de implicações racistas. Como cidadão brasileiro, no desempenho de suas obrigações cívicas, o negro aparece junto ao branco em situações de igualdade.

Considerando o exíguo 3% de anúncios publicitários de caráter comercial em que o negro aparece de alguma forma, serão analisados primeiro aqueles mostrados na televisão. A propaganda mais neutra do ponto de vista de suas implicações raciais é a de um supermercado que atualmente expande sua rede de pontos de comercialização da zona sul para a zona norte do Rio de Janeiro. Nela aparece uma multidão de pessoas em um espaço aberto, que vai se juntando lentamente até formar uma massa compacta. O grupo dá uma visão do corpo de funcionários da empresa e na seqüência final são destacados em close os rostos de várias pessoas brancas e negras. Apesar da ausência de implicações raciais, este anúncio evidencia um procedimento publicitário onde existe uma assimetria no tratamento dado a brancos e negros. Trata-se de evitar a associação direta entre o negro e produtos específicos, particularmente de uso pessoal. A única exceção desta associação direta que vem à memória é a da empregada doméstica negra que, autorizada pelos seus longos anos de experiência na cozinha, pode afirmar que a marca x faz o cafezinho mais gostoso ou o detergente y lava melhor a louça. O anúncio seguinte corresponde a uma rede de lojas que disputa a fatia mais popular do mercado de eletrodomésticos. A seqüência inicial mostra um casal negro cantando e dançando ao ritmo de um samba, segue enfocando outro casal branco e termina mostrando um grupo de pessoas de várias cores. Novamente, inexiste uma associação entre o negro e produtos específicos. Por outro lado, apesar da propaganda fazer um apanhado de pessoas comuns em situações de rua, a coreografia do casal negro entoando um samba faz com que ele se aproxime da categoria de *entertainer*. A última propaganda televisiva é a de uma marca de cerveja. Dentro de um botequim e em um clima festivo, com samba como música de fundo, ela mostra um grupo de jovens brancos bebendo chopp, segue enfocando um homem negro e termina com outro grupo branco bebendo. Este é o único anúncio que, possivelmente pela popularidade do produto, estabelece uma associação entre o negro e o produto, ainda que esta associação esteja diluída pela presença majoritária de pessoas brancas.

Deslocando a atenção para a publicidade das revistas, ingressa-se no âmbito de produtos mais sofisticados, onde se eleva rapidamente a proporção de modelos publicitários brancos do mais puro tipo nórdico.

Neste caso, a publicidade em que a estereotipação do negro aparece de forma mais evidente anuncia uma linha de veículos de transporte. A composição inclui as fotografias de quatro veículos. Em três delas aparecem seus donos, brancos e um casal japonês, junto a produtos hortigranjeiros a serem transportados, insinuando tratar-se de pequenos e médios agricultores. A quarta fotografia mostra um caminhão de mudanças junto ao motorista branco e a um carregador negro, este último apresentado na imagem mais contundente de trabalhador braçal desqualificado.

A segunda publicidade, de uma empresa de produtos metalúrgicos, está baseada na fotografia de um homem negro mestre-sala e uma porta-bandeira mestiça apresentando-se frente às arquibancadas. O anúncio sugere o contraste entre dois Brasis. Um, o Brasil de sempre, "tropical e abençoado", representado por negros desfilando numa escola de samba. Outro, pela rigidez e eficiência das arquibancadas de aço, de onde se vê o desfile. Este último é o Brasil novo, de mudança e progresso. Assim, temos um contraponto entre a idéia de desenvolvimento, positivamente conotada, e seu negativo "abençoado": o mero folclore, representado por negros. Além do mais, o anúncio é uma instância de apropriação de produtos culturais do negro, apresentados como tipicamente brasileiros, na sua versão mais folclorizada e mercantilizada.

A última publicidade, de um banco estadual de desenvolvimento, mostra uma fotografia de sete homens negros puxando uma rede de pesca para fora d'água. A evocação mais simples e direta é a do trabalho rude, força e vigor físico.

Projetando a probabilidade desta amostra, seria necessário observar aproximadamente três mil anúncios para registrar umas cem aparições publicitárias do negro. Os poucos casos observados para este trabalho impedem formular afirmações definitivas, mas permitem detectar tendências e chegar a algumas conclusões preliminares:

a) A publicidade não é alheia à dinâmica simbólica que rege as relações raciais no Brasil. Por ação e omissão, ela é instrumento eficaz de perpetuação de uma estética branca carregada de implicações racistas. Nela o negro aparece sub-representado e diminuído como consumidor e como segmento da população do país, reforçando-se assim a tendência a fazer dele um ser invisível, "retirado de cena".

b) Nas suas escassas incursões na publicidade, o negro tende a aparecer dissociado de produtos específicos, o que sugere a estratégia publicitária de evitar a "contaminação" da imagem desses produtos. Além do mais, suas aparições tendem a ficar diluídas e amenizadas pela presença conjunta de representantes do grupo racialmente dominante.

c) A publicidade reproduz os estereótipos culturais sobre o negro, assim contribuindo para delimitar, no plano ideológico, "seus lugares apropriados". Estes lugares esgotam-se na polaridade trabalho desqualificado/*entertainer,* "objeto de consumo".

Estas constatações sugerem a comparação com uma sociedade que, tida como racista, serviu como exemplo negativo para constituir o mito da democracia racial brasileira. Nos Estados Unidos o negro, verdadeira minoria numérica, conquistou um lugar irreversível e não estereotipado no âmbito da publicidade — essa invenção típica e característica do país do norte. Sem dúvida, esse lugar deriva das profundas transformações culturais e políticas no sistema de relações raciais e do fato do negro americano ter definido sua própria identidade, impondo a mesma ao resto da sociedade.

Na ausência de transformações semelhantes, o negro brasileiro, exposto ininterruptamente às imagens de um mundo branco dominante, ficará confinado às alternativas de uma auto-imagem negativa ou a adoção de um ideal de ego branco nos seus intentos de ascensão social.[3]

Notas de referência

Notas do Capítulo 1

1. Paul I. Singer, "Força de trabalho e emprego no Brasil: 1920-1969", *Cadernos CEBRAP,* n. 3, 1971.

2. H. L. Browning e J. Singelmann, "The transformation of the U. S. labor force: The interaction of industry and occupation", *Politics and Society,* v. 8/490-91, ns. 3 e 4, 1978.

3. Browning e Singelmann, ob. cit., p. 490.

4. P. I. Singer, ob. cit., pp. 61 e 62.

5. Maria Helena F. T. Henriques, "Projeções da população total segundo algumas alternativas de crescimento demográfico e projeções da população economicamente ativa segundo o nível atual do emprego", *mimeo,* 1983, p. 7.

6. Maria Helena F. T. Henriques, ob. cit., p. 11.

7. V., por exemplo, Peter Gregory, "An assesment of changes in employment conditions in less developed countries", *Economic Development and Cultural Change,* v. 28/673-700, n. 4, 1980.

8. Para uma análise conceitual e empírica das políticas sociais implementadas durante esta fase do desenvolvimento brasileiro v. Wanderley Guilherme dos Santos, *Cidadania e Justiça,* Rio de Janeiro, ed. Campus, 1979, especialmente o cap. 5.

9. Banco Mundial, *Relatório sobre o Desenvolvimento no Mundo,* 1981. Os dados sobre o Brasil referem-se a 1972. A tabela com os dados é reproduzida em Eduardo M. Suplicy, "A concentração e o presidente", *Folha de São Paulo,* 6.6.82.

10. Nelson do Valle Silva, *Posição Social das Ocupações,* Rio de Janeiro, FIBGE, *mimeo,* 1973.

11. A PNAD/73 consistiu numa amostra aleatória por aglomerados, compreendendo as pessoas que vivem em domicílios particulares e domicílios coletivos, com exceção dos membros das forças armadas residindo em quartéis, os internados, pacientes e membros de instituições, tais como sanatórios claustros religiosos e penitenciárias. Os empregados dessas instituições e suas famílias ali residindo são abrangidos pelo levantamento. Para uma descrição detalhada da metodologia das PNAD's consulte-se FIBGE, *Metodologia da Pesquisa Nacional por Amostra de Domicílios na Década de 70,* Rio de Janeiro, 1982.

12. O. D. Duncan, "Methodological issues in the analyses of social mobility", in Smelser e Lipset (eds.), *Economic Development and Social Mobility*, Aldine, 1966; N. V. Silva, "As duas faces da mobilidade", *Dados*, n. 21, 1979.

13. J. Pastore, "Mobilidade social no Brasil", *O Estado de S. Paulo*, 24.9.78.

14. J. Matras, "Differential fertility, intergenerational mobility and change in occupational structure", *Population Studies*, 15/187-97.

15. N. V. Silva, ob. cit., 1979, pp. 60 e 61.

16. T. Pullum, *Measuring Occupational Inheritance*, São Francisco, Jossey Bass, 1975; W. E. Deming, *Statistical Adjustment of Data*, New York, Wiley, 1943.

17. F. Mosteller, "Association and estimation in contingency tables", *JASA* 63/1-28; S. Feinberg, "An interative procedure for estimation in contingency tables", *Annals of Mathematical Statistics*, 41/907-17.

18. Pullum, ob. cit., Silva, ob. cit.

19. Para uma argumentação neste sentido, ver L. Murgatroyd, "Gender and occupational stratification", *The Sociological Review*, v. 30/574-602, n. 4, 1982.

20. Jean Gardiner, "Women in the labor process and class structure", in Alan Hunt (org.), *Class & Class Structure*, Londres, Lawrence and Wishart, 1977, p. 159.

21. V. capítulos 5 e 6 deste livro.

22. Deve ser notado que a estrutura de remuneração do setor industrial é muito mais favorável do que o da prestação de serviços. Assim, em 1980, apenas 27,6% das mulheres empregadas na indústria tinham rendimentos de até um salário mínimo, ao tempo que essa proporção era de 67,7% na prestação de serviços. O setor de comércio de mercadorias encontra-se numa situação intermediária. A grande dispersão da sua estrutura de remunerações permite pensar que ele recruta mulheres de origens e de classes diferentes para posições mais hierarquizadas do que as da indústria.

23. Para uma análise do diferente padrão de inserção ocupacional de brancos e pretos e mulatos, controlando por nível educacional. V. capítulo 6 deste livro, p. 176.

Notas do Capítulo 2

1. V., por exemplo, Altimir (1978) para uma avaliação da situação de pobreza na América Latina.

2. PREALC (1986), pp. 21 e 22.

3. Dados retirados de J. Serra (1982) e Abranches (1985).

4. Citado em Hoffman (1986), p. 86.

5. Rodolfo Hoffman (1984); Amartya Sen (1981).

6. Na seção que se segue serão discutidos em mais detalhes os critérios para definição da linha de pobreza.

7. Em sua proposta para mensuração da pobreza Sen faz uso dos três índices H, I e G indicados, tomando a forma

$$P = H[I + (1 - I)G]$$

Esta medida, que satisfaz uma série de axiomas básicos também propostos por Sen, tem encontrado ampla aceitação, inclusive no caso do Brasil (Hoffman, 1984; Santos, 1986, pp. 62-66). No entanto, N. Kakwani (1986) mostra que a derivada de P em relação a I e a G é tal que, por implicação, quanto maior a desigualdade de renda entre os pobres (G), *menor* será o aumento da pobreza (P) quando o hiato de pobreza aumenta (I), o oposto do que deveria ser. Assim, Kakwani propõe uma medida de pobreza alternativa, em que a derivada é estritamente positiva e que também satisfaz aos axiomas de Sen, definida como

$$K = HI (1 + G)$$

8. Pastore *et alii* (1983) p. 94. V. também Calsing (1983) pp. 3-5, 31.

9. Observe-se que pela definição da TRD um país pode apresentar um certo progresso num dado indicador e ainda assim a TRD ser negativa, bastando para isso que o *ritmo* de progresso seja muito inferior à expectativa de rendimento ótimo deste indicador nos países mais avançados. V. PREALC (1986), pp. 21 a 30.

10. Esta escala foi proposta por Grant (1978) — citado em PREALC (1986) p. 83 — e nela o valor zero corresponde ao desempenho mais baixo registrado em qualquer país do mundo desde 1950 num dado indicador; o valor 100 corresponde ao valor máximo esperado para este mesmo indicador para qualquer país no ano 2000.

11. Wanderley G. dos Santos (1986), p. 37.

12. Para um levantamento amplo da literatura sobre pobreza no Brasil, consulte-se Calsing (1983). Pastore *et alii* (1983), Hoffman (1984), Santos (1986) e Abranches (1986) também apresentam diagnósticos em muitos pontos similares ao que é desenvolvido nas seções seguintes.

13. V., por exemplo, R. Szal (1977), citado em CEPAL (1985) p. 133.

14. Abranches (1985), p. 30.

15. Encontramos na literatura duas vertentes conceituais básicas para o exame da questão da pobreza. A primeira define pobreza de uma forma absoluta, através de um padrão de vida considerado mínimo em termos de certas necessidades básicas como nutrição, moradia e vestuário. Assim, pobreza é privação absoluta — como na citação de Abranches acima — é carência de elementos indispensáveis à sobrevivência com um mínimo de dignidade. Embora este "mínimo de dignidade" esteja parcialmente sujeito a determinações culturais, supõe-se que os requerimentos impostos pela mera sobrevivência física sejam razoavelmente universais e, assim, permitindo o estabelecimento de uma "linha de pobreza" coincidente com estes requerimentos mínimos (conforme discutido mais adiante). O segundo enfoque define pobreza como privação relativa, explicitando conceitualmente a interdependência entre o fe-

nômeno da pobreza e a distribuição da riqueza observável na grande maioria das sociedades modernas. Nesta abordagem será considerado carente o segmento localizado na base da distribuição da riqueza, por exemplo os 20 ou 25% *mais* pobres da população. O problema deste enfoque é sua postulação de que existe necessariamente uma certa fração de pobres constante e permanente em todas as sociedades modernas onde haja qualquer forma de desigualdade, por menor que seja. Como lembra Szal (1977), a relação entre pobreza e desigualdade é empírica, esta última não implicando necessariamente na primeira, já que podemos ter sociedades bastante desiguais sem a presença de carências graves e, inversamente, em sociedades muito pobres a desigualdade pode ser mínima ou não existente de todo. Assim, acreditamos que o conceito de privação relativa deve ser reservado para os estudos da desigualdade propriamente dita, sendo mais adequado para o exame da questão da pobreza uma definição de forma absoluta. Esta é a orientação adotada no que se segue.

16. Sen (1981).

17. Levando a um exemplo extremo, mas que ilustra o problema, devem os indivíduos em regime de dieta calórica (eventualmente *obesos*), se alimentando abaixo dos requerimentos nutricionais mínimos, ser classificados como pobres? ...

18. Uma revisão da literatura sobre pobreza no Brasil, particularmente aquela baseada no método direto, encontra-se em Lustosa (1987).

19. Hoffman (1984); Pastore *et alii* (1983); Santos (1986); Costa (1986); Calsing (1983).

20. Observe-se que a definição utilizada corresponde, grosso modo, às que outros pesquisadores adotaram. Considerando-se que o tamanho médio das famílias no Brasil em 1985 segundo a PNAD era de cerca de 4 pessoas (mais precisamente, 4,09 pessoas), a população "miserável" conforme definida acima é idêntica à utilizada por Pastore *et alii* (1984) e equivalente à definição de linha de pobreza de Hoffman (1984). Traduzindo em dólares, a linha mais ampla "de pobreza" (até meio salário mínimo *per capita*) correspondia em 1985 a cerca de 25 dólares. Esta definição corresponde também, aproximadamente, aos valores utilizados por algumas agências internacionais, como o Banco Mundial, para classificar os países segundo seu nível de riqueza: freqüentemente a linha de pobreza para países é localizada no nível de 300 dólares "anuais" *per capita,* o que equivale aos 25 dólares *per capita* da linha de pobreza aqui adotada (Birdsall, 1983).

21. Conforme CEPAL (1985), p. 19.

Notas do Capítulo 3

1. V., p. ex., William T. Bielby, "Models of Status Attainment", in Donald J. Treiman e Robert V. Robinson. eds., *Research in Social Stratification and Mobility,* v. 1, Greenwich, Conn, Jai Press Inc., 1981.

2. Nelson do Valle Silva, "As duas faces da mobilidade", *Dados,* v. 21/ 49-67, 1979.

3. Judah Matras, "Comparative Social Mobility", *Annual Review of Sociology,* n. 6, 1980, p. 412.

4. Seymour M. Lipset e Reinhard Bendix, *Social Mobility in Industrial Society*, Berkeley, University of California Press, 1959.

5. Donald Treiman, "Industrialization and Social Stratification", in Edward O. Laumann, ed., *Social Stratification: Research and Theory for the 1970s*, Nova Iorque, Bobbs-Merrill, 1970.

6. Idem, pp. 219-20.

7. Lawrence E. Halzerigg e Maurice A. Garnier, "Occupational mobility in industrial societies: A comparative analysis of differential access to occupational ranks in seventeen countries", *American Sociological Review*, n. 41, 1976, e Andrea Tiree *et alii*, "Gasp and Glissandos: inequality, economic development and social mobility in 24 countries", *American Sociological Review*, n. 44, 1979.

8. Robert M. Hauser e David L. Featherman, *The Process of Stratification*, Nova Iorque, Academic Press, 1977, e John H. Goldthorpe, Catrione Llewellyn e Clive Payne, *Social Mobility and Class Structure in Modern Britain*, Oxford, Claredon Press, 1980.

9. Seymour M. Lipset e Hans L. Zetterberg, "Social mobility in industrial societies", in Seymour M. Lipset e Reinhard Bendix, *Social Mobility in Industrial Society...*, ob. cit.

10. V., p. ex., Keith Hope, "Vertical and nonvertical class mobility in three countries", *American Sociological Review*, n. 47, 1982.

11. David L. Featherman, F. Lancaster Jones e Robert Hauser, "Assumptions of mobility research in the United States: the case of occupational status", *Social Science Research*, n. 4, 1975.

12. Robert Erikson, John H. Goldthorpe e Lucienne Portocarrero, "Intergenerational class mobility in three western european societies: England, France and Sweden", *British Journal of Sociology*, n. 30, 1979.

13. Para uma discussão dos conceitos de mobilidade "estrutural" e "de circulação", bem como a conexão desse último conceito com a idéia de fluidez ou abertura do sistema de estratificação, v. Nelson do Valle Silva, "As duas faces da mobilidade"..., ob. cit.

14. V., p. ex., Robert Erikson, John H. Goldthorpe e Lucienne Portocarrero, "Social fluidity in industrial nations: England, France and Sweden", *British Journal of Sociology*, n. 33, 1982; Keith Hope, "Vertical and nonvertical class mobility in three countries"..., ob. cit., e Lucienne Portocarrero, "Social fluidity in France and Sweden", *Acta Sociológica*, n. 26, 1983.

15. David B. Grusky e Robert M. Hauser, "Comparative social mobility revisited: models of convergence and divergence in 16 countries", *American Sociological Review*, n. 49, 1984.

16. Idem, p. 36.

17. Robert Hauser, John N. Koffel, Harry P. Travis e Peter J. Dickinson, "Temporal change in occupational mobility: evidence for men in the United States", *American Sociological Review*, n. 40, 1975.

18. Keith Hope, "Trends in the openness of british society in the present century", in Donald Treiman e Robert V. Robinson, eds., *Research in Social Stratification and Mobility...*, ob. cit.

19. Hugh A. McRoberts e Kevin Selbee, "Thends in occupational mobility in Canada and the United States: a comparison", *American Sociological Review*, n. 46, 1981.

20. David B. Grusky e Robert M. Hauser, "Comparative social mobility revisited: models of convergence and divergence in 16 countries"..., ob. cit., p. 586.

21. Cap. 1 deste livro.

22. FIBGE — Fundação Instituto Brasileiro de Geografia e Estatística, Metodologia da Pesquisa Nacional por Amostra de Domicílios na Década de 70, *Série Relatórios*, v. 1, Rio de Janeiro, IBGE, 1981.

23. Cap. 1 deste livro.

24. Robert M. Hauser *et alii*, "Temporal change in occupational mobility: evidence for men in the United States"..., ob. cit.

25. Hansen, Hurwitz e Madow, *Sample Survey Methods and Theory*, Nova Iorque, John Wiley, 1956; U. S. Bureau of the Census, *Atlántida: Um Estudio de Caso en Encuestas de Hogares por Muestra*, Series ISP01, Washington, D.C., 1969, e FIBGE, *Metodologia da Pesquisa Nacional por Amostra de Domicílios na Década de 70*..., ob. cit.

26. Robert M. Hauser *et alii*, "Temporal change in occupational mobility: evidence for men in the United States"..., ob. cit.; Keith Hope, "Trends in the openness of british society in the present century"..., ob. cit.

27. O fato da amostra estar limitada a indivíduos com idade entre 20 e 64 anos num dado momento do tempo (1973) introduz também um viés no sentido de só incluir, dentro das coortes mais jovens, aqueles que entraram mais tardiamente no mercado de trabalho, bem como um efeito inverso nas coortes mais velhas. Esse viés, embora obviamente afete as distribuições ocupacionais (marginais), não necessariamente afeta o padrão da interação pai-filho.

28. Ponderado pelo número de indivíduos em cada título ocupacional constituinte do grupo na própria PNAD de 1973.

29. Nelson do Valle Silva, Posição Social das Ocupações, trabalho apresentado ao seminário sobre Política de Desenvolvimento Social, Fundação Getúlio Vargas, Rio de Janeiro, 3-6.12.73. (mimeo)

30. Os modelos log-lineares para análise de dados qualitativos são apresentados, entre outros, em Yvonne M. M. Bishop, Stephen E. Fienberg e Paul W. Holland, *Discrete Multivariate Analysis: Theory and Pratice*, Cambridge, The MIT Press, 1975; H. T. Reynolds, *The Analysis of Cross-Classifications*, Nova Iorque, The Free Press, 1977, e David Knoke e Peter Burke, *Log-linear Models*, Sage University Paper Series on Quantitative Aplications in the Social Sciences, Series n. 07-020, Beverly Hills e Londres, Sage Publications, 1980. Para uma apresentação sumária do tema, v. Nelson do Valle Silva, "Modelos log-lineares para análise de tabelas de contingência", trabalho apresentado no VI Encontro Anual da Associação Nacional de Pós-Graduação e Pesquisa em Ciências Sociais, Friburgo, RJ, novembro/82.

31. Robert M. Hauser et alii, "Temporal change in occupational mobility: evidence for men in the United States"..., ob. cit.; Hugh A. McRoberts e Kevin Selbee, "Trends in occupational mobility in Canada and the United States: a comparison"..., ob. cit.

32. H. A. McRoberts e Kelvin Selbee, "Trends in occupational mobility in Canada and the United States"..., ob. cit., p. 411.

33. Leslie Kish, "Confidence intervals for clustered samples", American Sociological Review, n. 22, 1957.

34. I. P. Fellegi, "Aproximate tests of independence and goodness of fit based on stratified and multistage samples", Survey Methodology, v. 4, n. 2, 1978.

35. Robert M. Hauser, John N. Koffel, Harry P. Travis e Peter J. Dickinson, "Temporal change in occupational mobility: evidence for men in the United States"..., ob. cit., utilizam um valor de 0,63 para o inverso do fator de desenho na amostra americana; H. A. McRoberts e Kevin Selbee, "Trends in occupational mobility in Canada and the United States: a comparison"..., ob. cit., estimam em 0,57 o valor correspondente para a amostra canadense.

36. I. P. Fellegi, "Aproximate tests of independence and Goodness of fit based ond stratified and multistage samples"..., ob. cit.

37. Leo Goodman, "The analysis of multidimensional contingency tables: stepwise procedures and directs estimation methods for building models for multiple classifications", Technometrics, n. 13, 1971; S. J. Haberman, Analysis of Qualitative Data, v. 2: New Developments. Nova Iorque, Academic Press, 1979.

38. O leitor deve recordar que distribuição de x^2 com v graus de liberdade tem expectância v e variância $2v$, aproximando-se de uma distribuição normal quando v é grande. Assim, valores abaixo de v têm uma probabilidade superior a 0,5, nos dando uma indicação imediata quanto a uma decisão sobre a hipótese nula.

39. Nelson do Valle Silva, "Independência, quase-independência e a mobilidade social no Brasil", trabalho apresentado no IV Congresso Nacional da Sociedade Brasileira de Matemática Aplicada e Computacional, Rio de Janeiro, novembro/81.

40. Convém lembrar o leitor que "herança ocupacional" é aqui entendida não no sentido estrito do filho herdar a mesma ocupação paterna, mas no sentido mais amplo de ele entrar no mercado de trabalho no mesmo estrato ocupacional que seu pai se encontra.

41. O modelo de "mobilidade quase-perfeita" corresponde à aplicação da hipótese de "quase-independência" ao contexto da análise da mobilidade social. Resumidamente, força-se as freqüências esperadas na diagonal principal da tabela — os casos de "herança ocupacional" — a assumirem valores idênticos às freqüências observadas. Assim, a hipótese de independência se aplica apenas às células fora da diagonal principal. Para uma discussão mais detalhada do modelo de mobilidade quase-perfeita, v. Nelson do Valle Silva, "Independência, quase-independência e a mobilidade social no Brasil"..., ob. cit.

42. Esse modelo em que para duas ou mais tabelas cruzadas especifica-se que algumas dadas interações (mas não todas) são semelhantes é denominado "modelo de quase-homogeneidade". Cf. Leo Goodman, "How to ransack social mobility tables and other kinds of cross-classification tables", *American Journal of Sociology*, n. 75, 1969, pp. 29-30, e Robert M. Hauser *et alii*, "Temporal change in occupational mobility: evidence for men in the United States"..., ob. cit., p. 286.

43. William T. Bielby, "Models of status attainment"..., ob. cit.

44. Esse resultado confirma as conclusões estabelecidas em Nelson do Valle Silva, Alberto M. Souza e Déborah Roditi, "Industrialização e desigualdades educacionais no Brasil", Relatório de Pesquisa e Desenvolvimento LNCC/CNPq 002-85, Rio de Janeiro, LNCC, 1985, *mimeo*, em que os autores se utilizam de metodologia e dados diferentes dos empregados no presente trabalho. Naquele trabalho, concluímos que "positivamente, o que a evidência levantada indica é que a estratificação educacional em nossa sociedade permaneceu basicamente a mesma nos 45 anos que antecedem a coleta dos dados usados nessa pesquisa". Idem, p. 43.

Notas do Capítulo 4

1. Bolivar Lamounier, "Ideologia conservadora e mudanças estruturais", in *Dados* n. 5, Rio de Janeiro, 1968, p. 16. Sobre a evolução intelectual da idéia de embranquecimento, v. Thomas Skidmore, *Black into White, Race and Nationality in Brazilian Thought* New York, Oxford University Press, (1974), especialmente caps. 2 e 6.

2. Mais indicações sobre este ponto podem ser encontradas no artigo de Lamounier, citado na nota anterior.

3. V. H. Hoetink, *Slavery and Race Relations in the Americas, an Inquiry into their Nexus and Nature* (New York, Harper, 1973), caps. 1 e 2.

4. Até certo ponto, o tratamento insuficiente desses aspectos obedece à falta de informações demográficas sobre raça. Entre 1890 e 1940, não foi levantado o dado censitário sobre cor da população, o mesmo acontecendo depois do censo demográfico de 1950.

5. Florestan Fernandes, (A) *O Negro no Mundo dos Brancos* (São Paulo: Difusão Européia do Livro, 1972), p. 71. V., também, do mesmo autor (B) *A Integração do Negro na Sociedade de Classes* (São Paulo, Dominus, 1965).

6. Florestan Fernandes, ob. cit. (A) p. 100.

7. Uma conseqüência do modelo dos "arcaísmos" é o deslocamento das causas da marginalização e exclusão do negro, das instituições controladas pelo grupo branco, para a socialização inadequada, produzida pela escravidão, e sua perpetuação sob as atuais formas de desorganização social, família incompleta e cultura da pobreza. Este tipo de explicação, muito utilizado nos diagnósticos sobre a situação do negro nos Estados Unidos, está exemplificado no controvertido informe Moynihan (Department of Labor) sobre "The negro family in America".

8. Florestan Fernandes, ob. cit. (A) p. 121.

9. Este último ponto é elaborado por Rafael Bayce em *Hacia un Marco Teórico para la Consideración de las Relaciones Raciales* (Rio, IUPERJ, 1975) não publicado, pp. 54 e 55.

10. Fernando H. Cardoso, *Capitalismo e Escravidão no Brasil Meridional* (São Paulo, Difusão Européia do Livro, 1962), p. 281. V. especialmente pp. 279-284.

11. Ibid., pp. 283-84.

12. Jeffrey Prager, "White racial privilege and social change", in *Berkeley Journal of Sociology*, XVII, 1972, p. 133.

13. Ibid., p. 140.

14. Herbert Blumer, "Industrialization and race relations", in Guy Hunter (ed.), *Industrialization and Race Relations* (London: Oxford University Press, 1965), p. 238.

15. Robert Blauner, *Racial Oppression in America* (New York, Harper, 1972), pp. 9 e 10.

16. Heribert Adam, *Modernizing Racial Domination, The Dynamics of South African Politics* (Berkeley, University of California Press, 1972), p. 147.

17. Dados do Censo Demográfico de 1950. A população de cor resulta da soma das categorias "pardos" e "pretos" do censo.

18. V. Fernando H. Cardoso, ob. cit.; Otávio Ianni, *As metamorfoses do Escravo* (São Paulo, Difusão Européia do Livro, 1962); Emília Viotti da Costa, *Da Senzala à Colônia* (São Paulo, Difusão Européia do Livro, 1966).

19. Entre 1798 e 1872, a população de cor livre, excluídos caboclos, passa de 406.000 para 4.245.428, elevando sua participação na população total de 12,5% para 42,8%. Convém também assinalar que a população de cor livre estava composta na sua maior parte de mulatos e mestiços, enquanto o grupo escravo esteve sempre formado principalmente por negros.

20. Thomas Skidmore, ob. cit., pp. 38 e 39 (tradução nossa; existe versão em português da ed. Paz e Terra).

21. Adotamos aqui a divisão de regiões proposta por Gláucio A. Dillon Soares em *Sociedade e Política no Brasil* (São Paulo, Difusão Européia do Livro, 1973), cap. VIII, p. 154. A região Sudeste, ou Brasil desenvolvido, inclui os Estados do Rio de Janeiro, Guanabara, São Paulo, Paraná, Santa Catarina e Rio Grande do Sul. O resto do país ou Brasil subdesenvolvido inclui todos os demais Estados.

22. Entre as exceções estão os trabalhos já mencionados de Florestan Fernandes, Fernando H. Cardoso, ob. cit., caps. V e VI; E. Viotti da Costa, ob. cit., terceira parte, cap. III; O. Ianni, ob. cit., caps. V e VI e Stanley Stein, *Vassouras, a Brazilian Coffee County* (New York, Atheneum, 1970), caps. X e XI.

23. Eugene Genovese, *The World the Slaveholders Made* (New York, Vintage, 1971), p. 91.

24. Emília Viotti da Costa, ob. cit., primeira parte, cap. V.

25. Ibid., p. 25.

26. Fernando H. Cardoso, ob. cit., p. 222.

27. Emília Viotti da Costa, ob. cit., p. 450.

28. Florestan Fernandes, ob. cit. (B), v. I. Sobre o movimento de migrações internas e internacionais neste período v. Douglas H. Graham e Sérgio Buarque de Holanda Filho, *Migration, Regional and Urban Growth and Development in Brazil*, v. I, São Paulo, Instituto de Pesquisas Econômicas, USP, 1971, mimeografado e Jorge Balán, "Migrações e desenvolvimento capitalista no Brasil: ensaio de interpretação histórico-comparativa", in J. Balán (ed.) *Centro e Periferia no Desenvolvimento Brasileiro* (São Paulo, Difel, 1974).

29. Florestan Fernandes, ob. cit. (B), v. I, parte I e S. Stein, ob. cit., caps. X e XI.

30. Censo Demográfico de 1890, Distrito Federal.

31. Amaury de Souza, *Racial Inequalities in Brazil, 1940 — 1950*, M.I.T., 1968, não publicado.

32. Ibid., pp. 13, 14 e 16.

33. No Sudeste, 9,6% da população com 10 anos e mais estava empregada no setor de indústria de transformação em 1950; a proporção correspondente ao resto do país era de 3,5%. No mesmo ano, 37,7% da população do Sudeste e 13,1% da população do resto do país morava em cidades ou vilas com 10.000 habitantes ou mais.

34. É significativo, por exemplo, que o negro americano tenha feito avanços consideráveis em sua situação econômica e ocupacional durante a I e II Guerras Mundiais, quando, como resultado da conjuntura, o ritmo da atividade econômica se intensifica.

35. Uma explicação mais completa do processo de geração e reprodução das desigualdades raciais deveria incorporar os possíveis efeitos da proporção de pessoas de cor dentro da população de cada região. Em princípio, este fator pode estar relacionado com as condições de competição e a estrutura das relações de poder existentes entre brancos e população de cor. À diferença dos Estados Unidos, no Brasil uma proporção elevada de negros e mulatos na população não parece estar associada às ameaças reais ou imaginárias sentidas pelo branco naquele país. Restaria explorar, em outro trabalho, as relações entre proporção de pessoas de cor, competição e mecanismos de discriminação no Brasil.

36. Dados do projeto de pesquisa sobre "Representação e desenvolvimento no Brasil", executado no IUPERJ em convênio com a Universidade de Michigan. Agradecemos a Amaury de Souza e Peter McDonough, diretores do projeto, por terem colocado os dados à nossa disposição.

37. Uma análise preliminar dos dados das pesquisas "Representação e desenvolvimento no Brasil" e "Força de trabalho, emprego e participação social em Salvador", esta última, realizada pelo CEBRAP, entre 1970 e 1971, em Salvador, Bahia, indica que a igual nível de escolaridade, existe um acentuado diferencial de renda entre as pessoas economicamente ativas brancas e de cor e que esse diferencial tende a aumentar nos níveis educacionais mais elevados. Uma análise detalhada dessa informação será apresentada em outro trabalho. Deixamos registrado nosso reconhecimento a Bolivar Lamounier e Fernando H. Cardoso, por nos terem facilitado os dados do segundo projeto mencionado.

38. Heribert Adam, ob. cit., p. 105.

39. Ibid., p. 108.

40. Florestan Fernandes, ob. cit. (A), p. 273. A ideologia racial que este autor denuncia foi fundamentalmente produzida pelas elites intelectuais de direita e liberais. Mas também o pensar de esquerda, seja por omissão, seja por reduzir a condição de negro à de proletário, tem a sua responsabilidade na desmobilização política do negro.

41. Carl Degler, *Nem Preto nem Branco, Escravidão e Relações Raciais no Brasil e nos Estados Unidos* (Rio de Janeiro, Labor do Brasil, 1976), p. 189. O ponto assinalado por Degler é de fundamental importância, já que a estruturação de movimentos sociais baseados na raça passa por um momento de redefinição política da identidade racial, até agora manipulada pelo grupo branco como um mecanismo a mais de dominação racial.

Notas do Capítulo 5

1. Carlos A. Hasenbalg, *Discriminação e Desigualdades Raciais no Brasil*, Rio de Janeiro, Graal, 1979 e Nelson do Valle Silva, "O Preço da Cor: diferenciais raciais na distribuição da renda no Brasil", *Pesquisa e Planejamento Econômico*, v. 10/21-44, n. 1.

2. Carlos Hasenbalg, ob. cit., pp. 220-21.

3. Otis D. Duncan, "Inheritance of poverty or inheritance of race?", em D. P. Moynihan (ed.), *On Understanding Poverty*, New York, Basic Books, 1969, pp. 88-9.

4. Para a definição da escala sócio-econômica de ocupação, ver Nelson do Valle Silva, *Posição Social das Ocupações*. Rio de Janeiro, IBGE/DI, *mimeo*, 1973.

5. V. Hasenbalg, ob. cit., e Nelson do Valle Silva, ob. cit., 1980.

6. Duncan, ob. cit.

Notas do Capítulo 6

1. É interessante notar que nos Estados Unidos os negros e outras minorias raciais são as exceções reconhecidas ao credo da igualdade de oportunidades, enquanto que na sociedade brasileira, hierárquica e altamente desigual, o ideal da igualdade de oportunidades é postulado fundamentalmente no terreno racial.

2. Donald Pierson, *Negroes in Brazil: A Study of Race Contact at Bahia*, Chicago, The University of Chicago Press, 1942 e Charles Wagley (ed.), *Race and Class in Rural Brazil*, Nova Iorque, Columbia University Press, 1963. Para uma conceitualização similar, v. também Thales de Azevedo, *As Elites de Cor, um Estudo de Ascensão Social*, São Paulo, Companhia Editora Nacional, 1955.

3. Charles Wagley, "From caste to class in north Brazil", in *Comparative Perspectives in Race Relations*, Melvin Tunin (ed.), Boston, Little, Brown & Co., 1969, p. 60.

4. Roger Bastide e Florestan Fernandes, *Brancos e Negros em São Paulo*, São Paulo, Cia. Editora Nacional, 1969; Florestan Fernandes, *A Integração do Negro na Sociedade de Classes*, São Paulo, Dominus, 1965 e *O Negro no Mundo dos Brancos*, São Paulo, Difusão Européia do Livro, 1972.

5. Carlos A. Hasenbalg, "Desigualdades raciais no Brasil", *DADOS* n. 14, 1977 e *Discriminação e Desigualdades Raciais no Brasil*, Rio de Janeiro, Graal, 1979.

6. A suspeita de que a PNAD/76 superestima a proporção de não-brancos no sudeste, deriva das elevadas taxas de crescimento dessa população entre 1960 e 1976 nas regiões do Rio de Janeiro (124%), São Paulo (143%) e Sul (22,1%). As taxas de crescimento da população branca foram de 37%, 54% e 50%, respectivamente.

7. Paradoxalmente, isto é assim a despeito da discriminação na esfera ocupacional aumentar junto com o nível educacional das pessoas de cor. Simplesmente, as crescentes barreiras de entrada a empreendimentos econômicos de certo porte e o declínio da ascensão social promovida através de relações clientelísticas, tendem a fazer da educação (fora as atividades esportivas e artísticas) a principal via aberta de mobilidade.

8. Agradeço a Nelson do Valle e Silva por ter colocado à minha disposição, com a urgência requerida pelo caso, toda a informação utilizada nas análises desta parte do trabalho.

Notas do Capítulo 7

1. Foram registradas unicamente publicidades que apresentavam figuras humanas no conteúdo do anúncio. No caso da televisão, as propagandas repetidas foram contadas uma vez só na enumeração total. Cada um dos canais comerciais de televisão do Rio de Janeiro (4, 7 e 11) foram observados durante uma noite, em dia de semana, no horário de 19:00 às 23:00 hs. Revistas examinadas no mês de abril: *Fatos e Fotos* 27.4.81; *Playboy*; *Status*; *Manchete* 25.4.81; *Veja* 15.4.81; *Isto É* 15.4.81 e *Cláudia*.

2. A ausência do negro não deve levar a pensar que o ideal de beleza transmitido pela publicidade reflete as características físicas externas típicas do branco brasileiro. Particularmente no caso das revistas, destinadas a um público mais restrito que o da televisão, o número de modelos brancas, louras e de olhos azuis leva a pensar mais em publicações oriundas da Suécia do que do Brasil.

3. Sobre a adoção de um ideal de ego branco pelo negro em mobilidade ascendente, v. Neusa Santos Souza, *Tornar-se Negro ou As Vicissitudes da Identidade do Negro Brasileiro em Ascensão Social*, tese de mestrado apresentada ao Instituto de Psiquiatria da Universidade Federal do Rio de Janeiro, 1980.

*